suhrkamp taschenbuch 1360

Hans Magnus Enzensberger, 1929 in Kaufbeuren geboren, lebt heute in München. Sein Werk im Suhrkamp und Insel Verlag ist auf Seite 157 dieses Bandes verzeichnet.

Alfred Andersch schrieb schon vor zwanzig Jahren (anläßlich des Erscheinens von *Landessprache*): »Es gibt für den Auftritt Hans Magnus Enzensbergers auf der Bühne des deutschen Geistes keinen anderen Vergleich als die Erinnerung an das Erscheinen Heinrich Heines«, dieser eine, Enzensberger, habe »geschrieben, was es in Deutschland seit Brecht nicht mehr gegeben hat: das große politische Gedicht.«

»Das Titelgedicht (von: *Die Furie des Verschwindens*) – ein einziger Satz von fünfundzwanzig Zeilen – zeigt, was für ein Meister der Begriffsbändigung und des Sprachbannens am Werke ist, dessen Worte eindringen und schweben zugleich, ohne sich leichtfertig zu verflüchtigen, wenn er von der – unser aller? – Furie spricht ... Das hat den Atem der Elegie, das ist die legitime poetische Setzung von Walter Benjamins entsetzlich-düsterem Geschichtsbild: Katastrophe, unabwendbar. Ein Schriftsteller kann sie künden; aufhalten kann er sie nicht.«   *Fritz J. Raddatz*

Hans Magnus Enzensberger

Gedichte

1950–1985

Suhrkamp

suhrkamp taschenbuch 1360
Erste Auflage 1986
© dieser Ausgabe
Suhrkamp Verlag Frankfurt am Main 1986
Copyrightangaben zu den einzelnen Gedichten
am Schluß des Bandes
Suhrkamp Taschenbuch Verlag
Druck: Nomos Verlagsgesellschaft, Baden-Baden
Printed in Germany
Umschlag nach Entwürfen von
Willy Fleckhaus und Rolf Staudt

5 6 7 – 95

Gedichte

Utopia

Der Tag steigt auf mit großer Kraft
schlägt durch die Wolken seine Klauen
Der Milchmann trommelt auf seinen Kannen
Sonaten: himmelan steigen die Bräutigame
auf Rolltreppen: wild mit großer Kraft
werden schwarze und weiße Hüte geschwenkt.
Die Bienen streiken. Durch die Wolken
radschlagen die Prokuristen,
aus den Dachluken zwitschern Päpste.
Ergriffenheit herrscht und Spott
und Jubel. Segelschiffe
werden aus Bilanzen gefaltet.
Der Kanzler schussert mit einem Strolch
um den Geheimfonds. Die Liebe
wird polizeilich gestattet,
ausgerufen wird eine Amnestie
für die Sager der Wahrheit.
Die Bäcker schenken Semmeln
den Musikanten. Die Schmiede
beschlagen mit Eisernen Kreuzen
die Esel. Wie eine Meuterei
bricht das Glück, wie ein Löwe aus.
Die Wucherer, mit Apfelblüten
und mit Radieschen beworfen,
versteinern. Zu Kies geschlagen,
zieren sie Wasserspiele und Gärten.
Überall steigen Ballone auf,
die Lustflotte steht unter Dampf:
Steigt ein, ihr Milchmänner,
Bräutigame und Strolche!
Macht los! mit großer Kraft
steigt auf
          der Tag.

Geburtsanzeige

Wenn dieses Bündel auf die Welt geworfen wird
die Windeln sind noch nicht einmal gesäumt
der Pfarrer nimmt das Trinkgeld eh ers tauft
doch seine Träume sind längst ausgeträumt
es ist verraten und verkauft

wenn es die Zange noch am Schädel packt
verzehrt der Arzt bereits das Huhn das es bezahlt
der Händler zieht die Tratte und es trieft
von Tinte und von Blut der Stempel prahlt
es ist verzettelt und verbrieft

wenn es im süßlichen Gestank der Klinik plärrt
beziffern die Strategen schon den Tag
der Musterung des Mords der Scharlatan
drückt seinen Daumen unter den Vertrag
es ist versichert und vertan

noch wiegt es wenig häßlich rot und zart
wieviel es netto abwirft welcher Richtsatz gilt
was man es lehrt und was man ihm verbirgt
die Zukunft ist vergriffen und gedrillt
es ist verworfen und verwirkt

wenn es mit krummer Hand die Luft noch fremd begreift
steht fest was es bezahlt für Milch und Telefon
der Gastarif wenn es im grauen Bett erstickt
und für das Weib das es dann wäscht der Lohn
es ist verbucht verhängt verstrickt

wenn nicht das Bündel das da jault und greint
die Grube überhäuft den Groll vertreibt
was wir ihm zugerichtet kalt zerrauft
mit unerhörter Schrift die schiere Zeit beschreibt
ist es verraten und verkauft.

Ratschlag auf höchster Ebene

Makers of History! schüttere Wölfe,
geschminkte Keiler, Kastraten
mit Herzklaps, Affensaft
in der welken Milz, eine Hutzel
zwischen den Beinen:

schlaflos über dem Golfstrom,
von schönen Klippern geschleudert
durch Wolkenlagunen; doch tut
keine Windsbraut euch auf
ihr wildes Herz, ihren weißen Leib:

immer dieselbe Vettel, History,
häßliche Hostess, besteigt
eure sauren Betten, melkt
aus euch ihre trübe Lust.

Steigt aus! ohne Fallschirm!
sterbt! Kein Weib weint
hinter euch eine Träne:
selbst die Vettel vergißt euch.

Bildzeitung

Du wirst reich sein
Markenstecher Uhrenkleber:
wenn der Mittelstürmer will
wird um eine Mark geköpft
ein ganzes Heer beschmutzter Prinzen
Turandots Mitgift unfehlbarer Tip
Tischlein deck dich:
du wirst reich sein.

Manitypistin Stenoküre
du wirst schön sein:
wenn der Produzent will
wird die Druckerschwärze salben
zwischen Schenkeln grober Raster
mißgewählter Wechselbalg
Eselin streck dich:
du wirst schön sein.

Sozialvieh Stimmenpartner
du wirst stark sein:
wenn der Präsident will
Boxhandschuh am Innenlenker
Blitzlicht auf das Henkerlächeln
gib doch Zunder gib doch Gas
Knüppel aus dem Sack:
du wirst stark sein.

Auch du auch du auch du
wirst langsam eingehn
an Lohnstreifen und Lügen
reich, stark erniedrigt
durch Musterungen und Malz-
kaffee, schön besudelt mit Straf-
zetteln, Schweiß,
atomarem Dreck:

deine Lungen ein gelbes Riff
aus Nikotin und Verleumdung
möge die Erde dir leicht sein
wie das Leichentuch
aus Rotation und Betrug
das du dir täglich kaufst
in das du dich täglich wickelst.

Konjunktur

Ihr glaubt zu essen
aber das ist kein Fleisch
womit sie euch füttern
das ist Köder, das schmeckt süß
(vielleicht vergessen die Angler
die Schnur, vielleicht
haben sie ein Gelübde getan,
in Zukunft zu fasten?)

Der Haken schmeckt nicht nach Biscuit
er schmeckt nach Blut
er reißt euch aus der lauen Brühe:
wie kalt ist die Luft an der Beresina!
Ihr werdet euch wälzen
auf einem fremden Sand
einem fremden Eis:
Grönland, Nevada, fest-
krallen sich eure Glieder
im Fell der Nubischen Wüste.

Sorgt euch nicht! Gutes Gedächtnis
ziert die Angler, alte Erfahrung.
Sie tragen zu euch die Liebe
des Metzgers zu seiner Sau.
Sie sitzen geduldig am Rhein,
am Potomac, an der Beresina,
an den Flüssen der Welt.
Sie weiden euch. Sie warten.

Ihr schlagt euch das Gebiß in die Hälse.
Euch vor dem Hunger fürchtend
kämpft ihr um den tödlichen Köder.

Aussicht auf Amortisation

Wie sind wir heruntergekommen! Was für ein Zustand!
Aus dem Fenster lehnend gewahre ich
die selben Häuser wie gestern. Steht denn die Zeit
still?
Nicht einmal, daß es nach Aas riecht, nicht einmal,
daß der Milchmann an der Luft verröchelt wie eine Flunder!
Kein Wunder, daß die Leute anfangen,
über den Fortschritt zu feixen! Die Sirenen,
wenn es so weitergeht, werden uns noch verrosten.
Schlagrahm essen die Offiziere. Wozu eigentlich
haben wir abgerichtet Gehirne aus Draht,
gewiegter als unsre eignen?
Um Kreuzworträtsel zu lösen?
Vor ihren erhabenen Bombern spielen die Crews
Kricket, und die Erfinder drohen bereits ganz offen,
sich auf Maschinen zur Verlängerung
statt zur Verkürzung des Lebens zu werfen.
Wohin, etwa in den Keller? sollen wir denn da
die Raketen tun und den Ruhm, der wird uns ja glatt
ranzig?
Ihr Völker, Trost! Schon hat sich der Stabschef
mit einem Posten roter Stecknadeln eingedeckt.
Die für uns unermüdlich die schwarzen Hüte
und die Verantwortung tragen, schlummern bereits
in ihren Luftkaravellen: ein Gipfelkongreß ist einberufen
zur Verhütung des Schlimmsten. Bekanntlich
wächst, wo Gefahr ist, das Rettende auch. Schon
stecken sie auf den sinnreichen Karten ab
neue Felder der Ehre,
auf denen ihr euch preiswert sterbend Unsterblichkeit
reißen könnt unter die blauen,
blutigen Nägel.

Verteidigung der Wölfe gegen die Lämmer

Soll der Geier Vergißmeinnicht fressen?
Was verlangt ihr vom Schakal,
daß er sich häute, vom Wolf? Soll
er sich selber ziehen die Zähne?
Was gefällt euch nicht
an Politruks und an Päpsten,
was guckt ihr blöd aus der Wäsche
auf den verlogenen Bildschirm?

Wer näht denn dem General
den Blutstreif an seine Hose? Wer
zerlegt vor dem Wucherer den Kapaun?
Wer hängt sich stolz das Blechkreuz
vor den knurrenden Nabel? Wer
nimmt das Trinkgeld, den Silberling,
den Schweigepfennig? Es gibt
viel Bestohlene, wenig Diebe; wer
applaudiert ihnen denn, wer
steckt die Abzeichen an, wer
lechzt nach der Lüge?

Seht in den Spiegel: feig,
scheuend die Mühsal der Wahrheit,
dem Lernen abgeneigt, das Denken
überantwortend den Wölfen,
der Nasenring euer teuerster Schmuck,
keine Täuschung zu dumm, kein Trost
zu billig, jede Erpressung
ist für euch noch zu milde.

Ihr Lämmer, Schwestern sind,
mit euch verglichen, die Krähen:
ihr blendet einer den andern.
Brüderlichkeit herrscht
unter den Wölfen:
sie gehn in Rudeln.

Gelobt sein die Räuber: ihr,
einladend zur Vergewaltigung,
werft euch aufs faule Bett
des Gehorsams. Winselnd noch
lügt ihr. Zerrissen
wollt ihr werden. Ihr
ändert die Welt nicht.

Landessprache

Ostendebat namque varium iracundum iniustum
inconstantem, eundem exorabilem clementem
misericordem, gloriosum excelsum humilem,
ferocem fugacemque et omnia pariter.
Plinius, Hist. nat. XXXV, XXXVI.

Was habe ich hier verloren,
in diesem Land,
dahin mich gebracht haben meine Älteren
durch Arglosigkeit?
Eingeboren, doch ungetrost,
abwesend bin ich hier,
ansässig im gemütlichen Elend,
in der netten, zufriedenen Grube.

Was habe ich hier? und was habe ich hier zu suchen,
in dieser Schlachtschüssel, diesem Schlaraffenland,
wo es aufwärts geht, aber nicht vorwärts,
wo der Überdruß ins bestickte Hungertuch beißt,
wo in den Delikateßgeschäften die Armut, kreidebleich,
mit erstickter Stimme aus dem Schlagrahm röchelt und ruft:
es geht aufwärts!
wo eine Gewinnspanne weit von den armen Reichen die reichen
        Armen
vor Begeisterung ihre Kinostühle zerschmettern,
da geht es aufwärts von Fall zu Fall,
wo die Zahlungsbilanz Hosianna und alles was recht ist singt
und ruft: das ist nicht genug,
daß da die Freizeit spurt und Gas gibt und hinhaut,
das ist das kleinere Übel, das ist nur die Hälfte,
das macht nichts, das ist nicht genug,
daß die Tarifpartner durch die Straßen irren
und mit geballten Fäusten frohlocken
und singen und sagen:

hier geht es aufwärts,
hier ist gut sein,

wo es rückwärts aufwärts geht,
hier schießt der leitende Herr den leitenden Herrn mit dem
    Gesangbuch ab,
hier führen die Leichtbeschädigten mit den Schwerbeschädigten
    Krieg,
hier heißt es unerbittlich nett zueinander sein,

und das ist das kleinere Übel,
das wundert mich nicht,
das nehmen die Käufer in Kauf,
hier, wo eine Hand die andere kauft,
Hand aufs Herz, hier sind wir zuhaus,

hier laßt uns Hütten bauen,
auf diesem arischen Schrotthaufen,
auf diesem krächzenden Parkplatz,
wo aus den Ruinen Ruinen sprossen,
nagelneu, Ruinen auf Vorrat, auf Raten,
auf Abruf, auf Widerruf:

Hiersein ist herrlich,
wo dem verbrauchten Verbraucher,
und das ist das kleinere Übel,
die Haare ausfallen,
wo er sein erfolgreiches Haupt verhüllt
mit Wellpappe und Cellophan,
wo er abwesend aus der Grube ruft:
hier laßt uns Hütten bauen,

in dieser Mördergrube,
wo der Kalender sich selber abreißt vor Ohnmacht und Hast,
wo die Vergangenheit in den Müllschluckern schwelt
und die Zukunft mit falschen Zähnen knirscht,
das kommt davon, daß es aufwärts geht,
da tun wir Fleckenwasser drauf,
das ist hier so üblich, das wundert mich nicht,

goldrichtig liegen wir hier,
wo das Positive zum Höchstkurs notiert,

die Handelskammern decken sich damit ein
und bahren es auf unter Panzerglas,

wo wir uns finden wohl unter Blinden,
in den Schau-, Kauf- und Zeughäusern,
und das ist nicht alles, das ist nur die Hälfte,
das ist die tiefgefrorene Wildnis,
das ist die erfolgreiche Raserei, das tanzt
im notdürftigen Nerz, auf zerbrochenen Knien,
im ewigen Frühling der Amnesie,

das ist ein anderes Land als andere Länder,
das reut mich, und daß es mich reut,
das ist das kleinere Übel, denn das ist wahr,
was seine Opfer, ganz gewöhnliche tote Leute,
aus der Erde rufen, etwas Laut- und Erfolgloses,
das an das schalldichte Pflaster dringt
von unten, und es beschlägt, daß es dunkel wird,
fleckig, naß, bis eine Lache,
eine ganz gewöhnliche Lache es überschwemmt,

und den Butzemann überschwemmt,
das Löweneckerchen, das Allerleirauh,
und die schöne Rapunzel, die sind nicht mehr hier,
und es gibt keine Städte mehr, und keine Fische,
die sind erstickt in dieser Lache,

wie meine Brüder, die tadel- und hilflosen Pendler,
wie sie mich reuen, die frommen Gerichtsvollzieher,
die Gasmänner, wie sie waren zuhauf,
mit ihren Plombierzangen, wie sie stapfen,
mit ihren abwesenden Stiefeln, durchs Bodenlose,
die Gloriole vorschriftsmäßig tief im Genick:

ja wären's Leute wie andere Leute,
wär es ein ganz gewöhnliches, ein andres
als dieses Nacht- und Nebelland,
von Abwesenden überfüllt,
die wer sie sind nicht wissen noch wissen wollen,
die in dieses Land geraten sind

auf der Flucht vor diesem Land
und werden flüchtig sein bis zur Grube:

wärs anders, wär ihm zu helfen,
wäre Rat und Genugtuung hier,
wär es nicht dieses brache, mundtote Feindesland!

Was habe ich hier verloren, was suche ich
und stochre in diesem unzuständigen Knäuel
von Nahkampfspangen, Genußscheinen,
Gamsbärten, Schlußverkäufen, und finde nichts
als chronische, chronologisch geordnete Turnhallen
und Sachbearbeiter für die Menschlichkeit
in den Kasernen für die Kasernen für die Kasernen:

Was soll ich hier? und was soll ich sagen?
in welcher Sprache? und wem?
Da tut mir die Wahl weh wie ein Messerstich,
das reut mich, das ist das kleinere Übel,
das schreit und so weiter
mit kleinen Schreien zum Himmel
und gibt sich für größer aus als es ist,
aber es ist nicht ganz,
es ist nur die himmelschreiende Hälfte,
es ist noch nicht genug:

denn dieses Land, vor Hunger rasend,
zerrauft sich sorgfältig mit eigenen Händen,
dieses Land ist von sich selber geschieden,
ein aufgetrenntes, inwendig geschiedenes Herz,
unsinnig tickend, eine Bombe aus Fleisch,
eine nasse, abwesende Wunde:

Deutschland, mein Land, unheilig Herz der Völker,
ziemlich verrufen, von Fall zu Fall,
unter allen gewöhnlichen Leuten:

Meine zwei Länder und ich, wir sind geschiedene Leute,
und doch bin ich inständig hier,

in Asche und Sack, und frage mich:
was habe ich hier verloren?

Das habe ich hier verloren,
was auf meiner Zunge schwebt,
etwas andres, das Ganze,
das furchtlos scherzt mit der ganzen Welt
und nicht in dieser Lache ertrinkt,

verloren an dieses fremde, geschiedne Geröchel,
das gepreßte Geröchel im *Neuen Deutschland,*
das Frankfurter Allgemeine Geröchel
(und das ist das kleinere Übel),
ein mundtotes Würgen, das nichts von sich weiß,

von dem ich nichts wissen will, Musterland,
Mördergrube, in die ich herzlich geworfen bin
bei halbwegs lebendigem Leib,
da bleibe ich jetzt,
ich hadere aber ich weiche nicht,
da bleibe ich eine Zeitlang,
bis ich von hinnen fahre zu den anderen Leuten,
und ruhe aus, in einem ganz gewöhnlichen Land,
hier nicht,
nicht hier.

Blindlings

Siegreich sein
wird die Sache der Sehenden
Die Einäugigen
haben sie in die Hand genommen
die Macht ergriffen
und den Blinden zum König gemacht

An der abgeriegelten Grenze stehn
blindekuhspielende Polizisten
Zuweilen erhaschen sie einen Augenarzt
nach dem gefahndet wird
wegen staatsgefährdender Umtriebe

Sämtliche leitende Herren tragen
ein schwarzes Pflästerchen
über dem rechten Aug
Auf den Fundämtern schimmeln
abgeliefert von Blindenhunden
herrenlose Lupen und Brillen

Strebsame junge Astronomen
lassen sich Glasaugen einsetzen
Weitblickende Eltern
unterrichten ihre Kinder beizeiten
in der fortschrittlichen Kunst des Schielens

Der Feind schwärzt Borwasser ein
für die Bindehaut seiner Agenten
Anständige Bürger aber trauen
mit Rücksicht auf die Verhältnisse
ihren Augen nicht
streuen sich Pfeffer und Salz ins Gesicht
betasten weinend die Sehenswürdigkeiten
und erlernen die Blindenschrift

Der König soll kürzlich erklärt haben
er blicke voll Zuversicht in die Zukunft

Die Scheintoten

Die Scheintoten warten vor den Kartellämtern,
sie warten, ohnmächtig, aus beiden Lungen rauchend,
vor den Eichämtern und vor den Arbeitsämtern.
Ihr bleicher, farbloser Jubel weht
wie eine riesige Zeitung im Wind
gegen die vielen vergitterten Schalter.

Wie sie mit ihren Genicken nicken! Wie
sind sie tüchtig und aufgeräumt! Wie flink
gehn ihnen von der Hand Lochkarten,
Beichtzettel und Schecks! In den Aktentaschen
tragen sie ihr abrasiertes Haar,
und in seinen zwei Strümpfen
hat jeder von ihnen zehn Zehen gespart.

Und dabei essen sie noch und schneiden
mit ihren zehn Scheintotenfingern Fleisch
vom Gebein toter Tiere, und nachts,
um zu stillen, was zwischen ihren Beinen
trauert und schreit, vermehren sie sich,
wenn die Schalter geschlossen sind,
und zeugen scheintote Zeugen,

und melden sie morgens, rauchend
aus den ohnmächtigen Mündern, an
bei den Meldeämtern,
damit man sie nicht begräbt.

Wer aber gibt ihnen Küsse und Äpfel?
Wer weckt sie denn, wer gibt ihnen allerdings
Immortellen, wer schaufelt von ihrer Brust
diese Gebirge von Qualm, wer wickelt sie
aus den Zeitungen, salzt ihre essenden Münder
mit Mut, wer kämmt die Asche aus ihrem Haar,
wer wäscht die Furcht aus ihren beiden farblosen Augen,
wer schenkt, löst, zaubert, salbt und weckt

die Scheintoten von den Toten auf,
und wer spricht sie frei?

Vor den Bankschaltern warten, beschneit
von Zeitungen und von Wahlscheinen, warten
unter dem Himmel, der sich, wie ein Vorstadtkino,
zuweilen erhellt und zuweilen verdunkelt,
wie zwischen Hauptfilm und Wochenschau,
zwischen Walstatt und Schauhaus,
vor den Sterbeämtern warten, warten
die Scheintoten auf ihre Totenscheine,
rauchen aus tüchtigen farblosen Lungen,
warten im trüben eigenen Jubel,
und warten, verschieden, auf ihr Verscheiden.

Hirudo sanguisuga
oder: Analekten zur Staatsbürgerkunde

Es gibt zweierlei Egel.
Die einen Egel sind Egel,
die andern sind Egel nicht.
(Das sind die unsern.)

Wir schlafen, nett geschart
um Egel, die keine sind,
gesalbt mit Gallerte.
Aus vegetarischen Villen
streuen sie leutselig
Rosenkränze und Zucker
in den Jubel der somnambulen
wahllosen Wähler. Dankbar
schützen wir sie,
die kein Blut sehen können,
vor ihren Feinden, den Egeln.

Warum sind sie so feist?
So fragen Gottlose.

Warum vermehren sie sich
und schwellen dunkel? Wie
kommt es, daß sie den Spiegel
des Himmels und der Vernunft
überziehn mit heulendem Schleim?

Das sind Wallfahrten
für Frieden und Freiheit.

Mästen sie sich wahrhaftig
von Wirsing? Ist ihr Streit
der unsre? Zwinkern Egel
und Aberegel, ringend
auf Leben und Tod,
einander nicht zu
mit blutunterlaufenen Augen?

Ihr Kampf ist eine Umarmung.
Wer erstickt darin?
So fragen Feiglinge.

Egel bleibt Egel.
So sprechen Verräter.

Frieden auf Erden
den Egeln, Freiheit
den Egeln, den Egeln,
die Egel nicht sind
(den unsern),
ein Wohlgefallen!
So sprechen Gerechte.

Isotop

Reffen wir ruhig die Regenschirme!
Die nächste Sintflut wird seicht sein.
Das alte Verfahren, Majore und Kühe
auf Hochspannungsmasten, der allgemeine
Andrang zum Ararat, zu den Alpenvereinen,
das Inlett plötzlich geplatzt, Panik
unter den Klempnern und pampige Tauben
mit oder ohne Ölzweig, das alles
hat sich nicht recht bewährt: Immer
dieselben Gerechten entstiegen der Arche
und begaben, den Wasserleichen zum Hohn,
Wandelanleihen und Päpste al pari.

Heute sind im Ural und in Arizona
Nobelpreisträger in Rudeln dabei,
den Wirkungsgrad zu verbessern,
um die Knöchel der Damen zu schonen.
Zuversicht herrscht in den Labors,
aus den Türritzen dringt ein Tau,
ein Ausschlag, feucht und human,
bomben-, tod- und betriebssicher, fett,
ein heiserer hauchdünner Schweiß.

Vorbei ist die Zeit der Versuche,
aus den Poren der Welt kriecht längst
eine dürre Flut, und wir ersaufen,
diszipliniert vor den Fahrkartenschaltern
kniend in Kuckucksuhren und Jod.

Gedicht für die Gedichte nicht lesen

Wer ruft mit abgerissenem Mund
aus der Nebelkammer? Wer schwimmt,
einen Gummiring um den Hals,
durch diese kochende Lache
aus Bockbier und Blut?
                        Er ist es,
für den ich dies in den Staub ritze,
er, der es nicht entziffert.

Wer ist ganz begraben von Zeitungen
und von Mist? Wer hat Uran im Urin?
Wer ist in den zähen Geifer
der Gremien eingenäht? Wer
ist beschissen von Blei?
                        Siehe,
Er ists, im Genick die Antenne,
der sprachlose Fresser mit dem räudigen Hirn.

Was sind das für unbegreifliche Ohren,
von wüstem Zuckerguß triefend,
die sich in Kurszettel wickeln
und in den Registraturen stapeln
zu tauben mürrischen Bündeln?
                        Geneigte,
Ohren verstörter Verräter, zu denen
rede ich kalt wie die Nacht und beharrlich.

Und das Geheul, das meine Worte
verschlingt? Es sind die amtlichen
schmierigen Adler, die orgeln
durch den entgeisterten Himmel,
um uns zu behüten.
                        Von Lebern,
meiner und deiner, zehren sie,
Leser, der du nicht liest.

An alle Fernsprechteilnehmer

Etwas, das keine Farbe hat, etwas,
das nach nichts riecht, etwas Zähes,
trieft aus den Verstärkerämtern,
setzt sich fest in die Nähte der Zeit
und der Schuhe, etwas Gedunsenes,
kommt aus den Kokereien, bläht
wie eine fahle Brise die Dividenden
und die blutigen Segel der Hospitäler,
mischt sich klebrig in das Getuschel
um Professuren und Primgelder, rinnt,
etwas Zähes, davon der Salm stirbt,
in die Flüsse, und sickert, farblos,
und tötet den Butt auf den Bänken.

Die Minderzahl hat die Mehrheit,
die Toten sind überstimmt.

In den Staatsdruckereien
rüstet das tückische Blei auf,
die Ministerien mauscheln, nach Phlox
und erloschenen Resolutionen riecht
der August. Das Plenum ist leer.
An den Himmel darüber schreibt
die Radarspinne ihr zähes Netz.

Die Tanker auf ihren Helligen
wissen es schon, eh der Lotse kommt,
und der Embryo weiß es dunkel
in seinem warmen, zuckenden Sarg:

Es ist etwas in der Luft, klebrig
und zäh, etwas, das keine Farbe hat
(nur die jungen Aktien spüren es nicht):
Gegen uns geht es, gegen den Seestern
und das Getreide. Und wir essen davon
und verleiben uns ein etwas Zähes,
und schlafen im blühenden Boom,

im Fünfjahresplan, arglos
schlafend im brennenden Hemd,
wie Geiseln umzingelt von einem zähen,
farblosen, einem gedunsenen Schlund.

Schaum

No le bastó después a este elemento
conducir orcas, alistar ballenas,
murarse de montañas espumosas,
infamar blanqueando sus arenas
con tantas del primer atrevimiento
señas – aun a los buitres lastimosas –,
para con estas lastimosas señas
temeridades enfrenar segundas.
Góngora, Soledades I, 435-442.

Ich bin geblendet geboren, Schaum in den Augen,
brüllend vor Wehmut, ohne den Himmel zu sehen,
am schwarzen Freitag, heute vor dreißig Jahren.

Schaum vor dem Mund des Jahrhunderts! Schaum
in den Kassenschränken! Jaulender Schaum
in den Gebärmüttern und den Luxusbunkern!
Schaum in den rosa Bidets!

Dagegen hilft kein himmlischer Blitz! Das blüht,
das überzieht die Erde an Haupt und Gliedern
mit rasendem Rotz! Das reutet kein Feuer,
kein Schwert! Das endet nicht! Dagegen gibt es,
ehrlich gesagt, keinen Rat, kein Beil, kein Geheimnis.
Das ist zu süß! Das steigt aus dem Abgrund auf
und schäumt! und schmunzelt! und schäumt!

Reicht mir die Bruderhand, ihr Verräter,
übersät mit Warzen, Flaksplittern und Brillanten,
Bewohner schmutziger Nebensätze,
reicht mir den Adamsapfel zum Judasbiß,
das schäumende Seifenherz und den Kontoauszug,
rosig von Hämoglobin! Zieht mich zu Grund,
tiefer zu euch, zu den anderen Quallen,
in den freiberuflichen Schaum!

Hier stehe ich täglich, ein Feuerschlucker wie ihr,
wie alle andern, an meiner Straßenecke, von neun

bis fünf, und schlucke mühsam für zwanzig Mark
mein eigenes Feuer, knietief im schäumenden Status quo,
unter Vergasern und Ampeln.
                    Horch!

Wer ruft Grüßgott aus dem Schaum?
Wer heißt mich hoffen? Und warum hoffen?
Wer reicht mir die klebrige Bruderhand?

Loslassen! Loslassen! Ich bin keiner von euch
und keiner von uns: ich bin zufällig geboren
unter schäumenden Wasserwerfern, zufällig brüllend,
ehrlich gesagt, allein, ohne Brüder, geblendet,
am schwarzen Freitag, in einem rosa Bidet.

Und warum allein? und warum rosa? und warum
nicht? und warum ehrlich gesagt?

Wer schluckt nicht sein eigenes Feuer? Wer
watet nicht durch abgemähte Fingernägel fürbaß?
Wer hat keine schmierige Klausel in seinem Vertrag?
Wer will erlöst werden und von wem? und wovon?
Wer frißt nicht unaufhörlich mit vorzüglicher Hochachtung?
Wer ist nicht veranlagt? Wer hat die Angstschreie
auf den Hauptversammlungen nicht vernommen?

Wer hat keine Bronchien aus Plastik? Na also!
Wer war schon in einer Fabrik? Wer
riecht nicht aus dem Hals? Wer
ist nicht geschieden, und warum nicht?
Wer schreibt keine Ansichtskarten aus Capri?
Wer hurt nicht mit der Geschichte herum?
Wen reut sein Leben nicht? und warum nicht?
und warum nicht? Wer sagt nicht: und so weiter?
und warum so weiter? Wer schreit Hilfe?
und warum Hilfe? und warum warum?

Wer weiß nicht daß er verreckt? Aber woher denn,
daran stirbt man nicht! Wer ist nicht Tachist?
Wer hat keine Handschellen vor dem Mund,

und kein desinfiziertes Gehirn? Aber woher,
aber woher denn die Honorare, und warum nicht?
Woher die Müllhaufen, aus denen Pfauen brechen
und mystische Rosen? und, ehrlich gesagt: woher,
woher dieser Schaum?

Gebt mir die Hand, erloschene Feuerschlucker!
Mumien, vermummt in rosigem Schaum, Grüßgott!
Reicht mir die schaumige Speiseröhre zum Gruß,
siehe, ich bin einer von euch,
ich will euch ersticken im eigenen Schaum!

Denn zufällig lebe ich noch!
Zufällig bin ich stark wie ein Krüppel,
der Niemand heißt, ehrlich gesagt,
daran stirbt man nicht, stark
und ohne Adresse und kalt wie der Himmel.

So geht doch! Geht! Worauf wartet ihr noch?
Auf die Hochbahn, auf die Niewiedergutmachung,
auf die steuerbegünstigte Sintflut?

Das Jüngste Gericht ist bestochen,
Leihwagen fahren die Päpste
in ihrer Tiara aus Schaum.

An glühenden Telefonen baumeln die Makler
im Schweiß ihrer schweinsledernen Gesichter:
Der Klassenkampf ist zu Ende, am Boden liegt
die Beute in ihrem Fett, liquide,
Schaum in den rosigen Augen. Verschimmelt
in den Vitrinen ruhn, unter Cellophan,
Banner und Barrikaden. Aus einer antiken Jukebox dröhnt
die Internationale, ein müder Rock.

Die Generalstäbe spielen Weltraumgolf.
Hinter der Schallmauer nimmt der Fortschritt
eine Parade von lenkbaren Lehrstühlen ab.

In den Staatsbanken singen kastrierte Kassierer
schaumige Arien, bis die begeisterten Damen
ihr Gefrierfleisch aus dem Chinchilla schälen.

Tränengas, Cadillacs und Baracken
für die Afrikaner! Rabattmarken her
für die Hungerödeme der Freien Welt!

Und warum nicht diese prämierten Euter?
Filmhintern in rosigem Schaum, Striptease
des Abendlandes von Bottrop bis San Diego?

Ehrlich gesagt: warum nicht? und warum
keine Rampen? Sollen es unsere Kinder vielleicht
besser haben als wir? Aber woher denn!

Woher die möblierten Herren, die unter die Teppiche kriechen
und das geflammte Furnier und die Stellenangebote zerbeißen?
Woher? und wohin mit ihnen? Wohin mit den Witwen?
Wohin mit den Kommunisten? Wohin mit dem,
was da Hölderlin sagt und meint Himmler, mit dem,
was da Raketen und Raten abstottert, was da filmt
und vögelt und fusioniert? Wohin mit den Erzbischöfen?
Wohin mit den abgeschabten Genies, die vor Angst
aus dem Fenster fallen? Hinaus, hinaus in den Regen!
In den tiefen ranzigen Schaum, in die Irrenhäuser,
in die Gefängnisse, in die Kongreßhallen,
wo der Speichel der Lügner von den Wänden rinnt,
wohin denn sonst? In die gußeisernen Krematorien,
und in die hundertfältig verfluchten Zollämter,
Hauptzollämter und Zollaufsichtsbehörden!

Und wohin mit uns? Wohin mit dem,
was die Fußballstadien schäumend füllt
und schreit nach Coca-Cola und Blut?
Wohin mit dem lieben Gott? Wohin
mit seinem glasscherbenfressenden Ebenbild?
Freiwillig in die Bundeswehr! in den Schaum!

in den rasenden schwarzen rosigen Schaum!
in den wiehernden schäumenden Schaum!

Loslassen! Finger weg! Zufällig lebe ich noch!
Zufällig bin ich geboren!

Und ich kenne diesen Geschmack nach Chlor und Blei:
schmeckt ihr es nicht im Sahnebaiser,
ihr unaufhörlichen fressenden Leichen bei Kranzler?
Heil Hitler! Vergelts Gott! diesen Geschmack
nach Auschwitz im Café Flore, im Doney,
nach Budapest, im Savoy, und nach Johannesburg?

Und warum so weiter? und warum dieses Gebären
alberner Fünflinge aus bloßem Zeitungspapier,
diese Ausbrüche rührender alter Vulkane,
diese Krönungen und Krawalle? Schluß damit!
Aufhören! Ehrlich gesagt, diese Springfluten,
daran stirbt man nicht! Man stirbt auf dem Stuhl,
wenn man bedenkt, daß sich die Menschen essen,
ein Mensch, ehrlich gesagt, den andern!

Und warum nicht? und warum kein Lebkuchenherz
und keine Gratisaktien für den Kultusminister?
Na und? und warum keinen Mokka? Warum kein Koma?
Warum kein Amok? Daran stirbt man nicht!
Man stirbt in der Nato, an Herzverseifung,
ehrlich gesagt, in einem Knäuel von Ministranten,
in einem Schaumgummihochhaus in Düsseldorf,
man stirbt auf dem Stuhl, ehrlich gesagt,
wenn man bedenkt, wer man ist!

Kauft euch Särge mit Klimaanlage und Wasserspülung,
wahrlich, wahrlich, die Preise steigen, ade!
Bald habt ihr Schmirgel im Hals.

Worauf wartet ihr noch? Stopft euch den Schmuck
in die Busen, den Büchsenöffner, das Cembalo,
bietet der Nemesis eine Pauschale an

und packt! Packt die Vergütungen ein,
die Gasmaske und den Unterleib!

Kauft Geigerzähler und alte Meister!
Kauft Knaben auf und verrichtet an ihnen,
solange Vorrat, euer Gesabber!
Kauft euch den Montag, das Meer!
Kauft euch Porridge und Bomben, kauft
vom Flugplatz weg das Genie!
Kauft euch das Gift, das ich euch
auf die käuflichen Zungen lege,
um euch zu töten, um euch zu erfrischen!
Kauft euch Kultur und wälzt sie wie einen Kaugummi
zwischen den Kiefern! Gründet euch schnöde Schweizen!
Stockt auf! Warum nicht? Setzt um! Stellt glatt!
Macht flüssig! Schreibt ab! Schüttet aus!

Und warum nicht? Warum keine Kopfjäger
in kessen Kabriolets? Warum keine Kübel
voll Affenhormon in der Nervenklinik?
Wer wirft da, ehrlich gesagt, den ersten Stein?

Wer lebt nicht von Spritzen? Wer knackt,
auf den Kreuzungen, keine Schädel? Na also!
Wer ist nicht am Schleimhauthandel beteiligt?
Wer weiß nicht was Waschzwang ist? Wer heißt nicht Pilatus?

Aufmachen! Schluß! Die Steuerfahndung ist da! Die Trauzeugen!
Das Bundesverdienstkreuz! Der gemischte Chor! Die Statistik!
Der himmlische Bräutigam und der Generalstreik!
Die Gashähne auf! Stoßgebet! Furcht und Zittern!

Grüß Gott! An die Barren! Zur Riesenkippe! Ein Lied!
Bis dat qui cito dat! Vergelts Gott! Die Fahne hoch!
Si vas pacem para bellum! Ausziehen! Hinlegen!
In saecula saeculorum!

Das hört nicht auf! Das stirbt, ununterbrochen,
aber nicht ganz, das faselt geschmeichelt
von Apokalypse, das frißt am Nullpunkt noch Kaviar

Lebenslauf

Später erfuhr ich, daß es ein Freitag war,
da ich herausfuhr, schreiend,
aus meinem Sarg, aus meiner Mutter.

Zwischen meiner verräterischen Geburt,
besiegelt von Öl und Wasser und Salz,
und meinem eingeborenen Tod,

in dieser langen Weile zwischen Freitag
und Aberfreitag ward ich geimpft
und gefirmt und gemustert. Für Glück

galt das lackierte Gesicht der Gewalt.
Einmal im Jahr hat der Schnee gewechselt.
Mein Totenhemd tauschte ich täglich.

Ich habe die vier Striche des Himmels bemerkt.
Meine Worte sind davongefahren auf einem Wind.
Kein Ruhm, kein Feuer hat mich verzehrt.

Abends ist meine Leber schwer wie ein Feldstein,
und wenn es Freitag wird, höre ich ein Geschrei,
als schriee ich in meinem weißen Hemd,

wie vor langer Weile, zur Stunde meiner Geburt.
Dann schlafe ich mürrisch ein und denke:
Das geht mich nichts an. Es wird ein anderer

Krieg sein, ein anderer toter Hund, nicht ich,
wird zum Mond geschossen, verscharrt
im entgeisterten, schreienden Raum.

Wortbildungslehre

In den toten Hemden
ruhn die blinden Hunde
Um die kranken Kassen
gehn die wunden Wäscher

Und die waisen Häuser
voll von irren Wärtern
leihn den fremden Heimen
ihre toten Lieder

Doch die kranken Hunde
ziehn den irren Wäschern
ihre waisen Hemden
aus den toten Kassen

Vor den blinden Liedern
fliehn die fremden Wärter
aus den wunden Heimen
in die toten Häuser

Alle wunden Wäscher
in den kranken Kassen
ruhn mit blinden Hunden
in den toten Hemden

In den toten Kassen
in den toten Häusern
in den toten Heimen
in den toten Liedern

ruhn die toten Toten

Küchenzettel

An einem müßigen Nachmittag, heute
seh ich in meinem Haus
durch die offene Küchentür
eine Milchkanne   ein Zwiebelbrett
einen Katzenteller.
Auf dem Tisch liegt ein Telegramm.
Ich habe es nicht gelesen.

In einem Museum zu Amsterdam
sah ich auf einem alten Bild
durch die offene Küchentür
eine Milchkanne   einen Brotkorb
einen Katzenteller.
Auf dem Tisch lag ein Brief.
Ich habe ihn nicht gelesen.

In einem Sommerhaus an der Moskwa
sah ich vor wenig Wochen
durch die offene Küchentür
einen Brotkorb   ein Zwiebelbrett
einen Katzenteller.
Auf dem Tisch lag die Zeitung.
Ich habe sie nicht gelesen.

Durch die offene Küchentür
seh ich vergossene Milch
Dreißigjährige Kriege
Tränen auf Zwiebelbrettern
Anti-Raketen-Raketen
Brotkörbe
Klassenkämpfe.

Links unten ganz in der Ecke
seh ich einen Katzenteller.

Abendnachrichten

Massaker um eine Handvoll Reis,
höre ich, für jeden an jedem Tag
eine Handvoll Reis: Trommelfeuer
auf dünnen Hütten, undeutlich
höre ich es, beim Abendessen.

Auf den glasierten Ziegeln
höre ich Reiskörner tanzen,
eine Handvoll, beim Abendessen,
Reiskörner auf meinem Dach:
den ersten Märzregen, deutlich.

Camera obscura

In meinen vier vorläufigen Wänden
aus Fichtenholz
vier mal fünf mal zweieinhalb Meter
in meinem winzigen Zimmer
bin ich allein

allein mit dem Bratapfel, der Dunkelheit,
der Sechzig-Watt-Birne,
mit der Bundeswehr, mit der Eule
allein

mit dem Briefbeschwerer aus blauem Glas,
der Kybernetik, dem Tod,
mit der Stuckrosette
allein

mit dem Gottseibeiuns
und dem Weiherweg in Kaufbeuren
(Reg. Bez. Schwaben)
mit meiner Milz allein

mit meinem Gevatter Rabmüller,
vor zwanzig Jahren vergast,
allein mit dem roten Telefon,
und mit vielem, was ich mir merken will.

Allein mit Krethi und Plethi,
Bouvard und Pécuchet,
Kegel und Kind,
Pontius und Pilatus.

In meinem unendlichen Zimmer
vier mal fünf mal zweieinhalb Meter
bin ich allein mit einem Spiralnebel
von Bildern

von Bildern von Bildern
von Bildern von Bildern von Bildern
enzyklopädisch und leer
und unzweifelhaft

allein mit meinem vorläufigen Gehirn
darin ich wiederfinde den Bratapfel,
die Dunkelheit, den Gevatter Rabmüller,
und vieles was ich vergessen will.

Abgelegenes Haus

für Günter Eich

Wenn ich erwache
schweigt das Haus.
Nur die Vögel lärmen.
Ich sehe aus dem Fenster
niemand. Hier

führt keine Straße vorbei.
Es ist kein Draht am Himmel
und kein Draht in der Erde.
Ruhig liegt das Lebendige
unter dem Beil.

Ich setze das Wasser auf.
Ich schneide mein Brot.
Unruhig drücke ich
auf den roten Knopf
des kleinen Transistors.

»Karibische Krise ... wäscht weißer
und weißer und weißer ...
einsatzbereit ... Stufe drei ...
That's the way I love you ...
Montanwerte kräftig erholt ...«

Ich nehme nicht das Beil.
Ich schlage das Gerät nicht in Stücke.
Die Stimme des Schreckens
beruhigt mich, sie sagt:
Wir sind noch am Leben.

Das Haus schweigt.
Ich weiß nicht, wie man Fallen stellt
und eine Axt macht aus Flintstein,
wenn die letzte Schneide
verrostet ist.

Mund

Hat sich geöffnet, nach Luft gerungen,
hat etwas Warmes gekannt,
Ah gesagt überm kalten Löffel.
Was weiß ein Mund.

Lirum larum, so schmeckt der Bleistift,
so schmeckt die Eisblume,
so die stählerne Zahnarztklammer,
so schmeckt im Kasten der Sand.

Was weiß ein Mund. Kennt Milch und Blut,
Brot und Wein, Zucker und Salz,
hat unterschieden Morsches von Dürrem,
Schleimiges von Verbranntem.

Hat sich gegen das Übel gewehrt
mit Lirum und Larum,
Hustensaft und Oblaten.
Hat sich getäuscht.

Was weiß ein Mund.
Weiß nichts, sucht, will nicht,
verzehrt und verzehrt sich,
sucht und läßt sich versuchen.

Sucht Freundschaft mit noch einem Mund,
sucht ein Ohr, ringt nach Luft,
öffnet sich, teilt sich mit.
Was weiß ein Mund.

Hat sich getäuscht, ist dunkel,
hat gesucht und knirschend gefunden
etwas Kaltes, Dunkles,
hat sich verschlossen.

Der Andere

Einer lacht
kümmert sich
hält mein Gesicht mit Haut und Haar unter den Himmel
läßt Wörter rollen aus meinem Mund
einer der Geld und Angst und einen Paß hat
einer der streitet und liebt
einer rührt sich
einer zappelt

aber nicht ich
Ich bin der andere
der nicht lacht
der kein Gesicht unter dem Himmel hat
und keine Wörter in seinem Mund
der unbekannt ist mit sich und mit mir
nicht ich: der Andere: immer der Andere
der nicht siegt noch besiegt wird
der sich nicht kümmert
der sich nicht rührt

der Andere
der sich gleichgültig ist
von dem ich nicht weiß
von dem niemand weiß wer er ist
der mich nicht rührt
das bin ich

Bibliographie

Dies ist für dich geschrieben.
Windungen unter der Rinde,
Zitterschrift hinter den Schläfen,
Ameisenwege.

Das ist keine Kunst.

Gedruckte Schaltung,
Kommunismus
der Polypeptide,
elektronische Schlüsselblumen,
Lerchen, programmgesteuert.

Nimm und lies,
alter Selbstmörder.

Genetische Manifeste,
Permutationen, Triller.
Jeder Kristall ein chef d'œuvre.
Libellenaugen zu konstruieren
ist keine Kunst,
aber Weltreiche sind simpler gebaut.

Diese Brennessel
könnte von Proust sein:
Feedback-System zweiten Grades,
ultrastabil.

Bis dir das Buch in die Hand kommt,
ist es zum Lesen
vielleicht schon zu dunkel.

Ob die Libellen
ohne uns auskommen werden,
wissen wir nicht.

Es ist anzunehmen.

Wirf das Buch fort
und lies.

Freizeit

Rasenmäher, Sonntag
der die Sekunden köpft
und das Gras.

Gras wächst
über das tote Gras
das über die Toten gewachsen ist.

Wer das hören könnt!

Der Mäher dröhnt,
überdröhnt
das schreiende Gras.

Die Freizeit mästet sich.
Wir beißen geduldig
ins frische Gras.

Middle Class Blues

Wir können nicht klagen.
Wir haben zu tun.
Wir sind satt.
Wir essen.

Das Gras wächst,
das Sozialprodukt,
der Fingernagel,
die Vergangenheit.

Die Straßen sind leer.
Die Abschlüsse sind perfekt.
Die Sirenen schweigen.
Das geht vorüber.

Die Toten haben ihr Testament gemacht.
Der Regen hat nachgelassen.
Der Krieg ist noch nicht erklärt.
Das hat keine Eile.

Wir essen das Gras.
Wir essen das Sozialprodukt.
Wir essen die Fingernägel.
Wir essen die Vergangenheit.

Wir haben nichts zu verheimlichen.
Wir haben nichts zu versäumen.
Wir haben nichts zu sagen.
Wir haben.

Die Uhr ist aufgezogen.
Die Verhältnisse sind geordnet.
Die Teller sind abgespült.
Der letzte Autobus fährt vorbei.

Er ist leer.

Wir können nicht klagen.

Worauf warten wir noch?

Bildnis eines Spitzels

Im Supermarkt lehnt er
unter der Plastiksonne,
die weißen Flecken in seinem Gesicht
sind Wut, nicht Schwindsucht,
hundert Schachteln Knuspi-Knackers
(weil sie so herzhaft sind)
zündet er mit den Augen an,
ein Stück Margarine
(die gleiche Marke wie ich:
Goldlux, weil sie so lecker ist)
nimmt er in seine feuchte Hand
und zerdrückt sie zu Saft.

Er ist neunundzwanzig,
hat Sinn für das Höhere,
schläft schlecht und allein
mit Broschüren und Mitessern,
haßt den Chef und den Supermarkt,
die Kommunisten, die Weiber,
die Hausbesitzer, sich selbst
und seine zerbissenen Fingernägel
voll Margarine *(weil sie
so lecker ist)*, brabbelt
unter der Künstlerfrisur
vor sich hin wie ein Greis.

Der
wird es nie zu was bringen.
Schnittler, glaube ich, heißt er,
Schnittler, Hittler, oder so ähnlich.

Zweifel

Bleibt es, im großen und ganzen, unentschieden
auf immer und immer, das zeitliche Spiel
mit den weißen und schwarzen Würfeln?
Bleibt es dabei: wenig verlorene Sieger,
viele verlorne Verlierer?

Ja, sagen meine Feinde.

Ich sage: Fast alles, was sich sehe,
könnte anders sein. Aber um welchen Preis?
Die Spuren der Fortschritts sind blutig.
Sind es die Spuren des Fortschritts?
Meine Wünsche sind einfach.
Einfach unerfüllbar?

Ja, sagen meine Feinde.

Die Sekretärinnen sind am Leben.
Die Müllkutscher wissen von nichts.
Die Forscher gehen ihren Forschungen nach.
Die Esser essen. Gut so.

Indessen frage ich mich:
Ist morgen auch noch ein Tag?
Ist dies Bett eine Bahre?
Hat einer recht, oder nicht?

Ist es erlaubt, auch an den Zweifeln zu zweifeln?

Nein, euern Ratschlag, mich aufzuhängen,
so gut er gemeint ist, ich werde ihn nicht befolgen.
Morgen ist auch noch ein Tag (wirklich?),
die Augen aufzuschlagen und zu erblicken:
etwas Gutes, zu sagen: Ich habe Unrecht behalten.

Süßer Tag, an dem das Selbstverständliche
sich von selber versteht, im großen und ganzen!

Was für ein Triumph, Kassandra,
eine Zukunft zu schmecken, die dich widerlegte!
Etwas Neues, das gut wäre.
(Das Gute Alte kennen wir schon...)

Ich höre aufmerksam meinen Feinden zu.
Wer sind meine Feinde?
Die Schwarzen nennen mich weiß,
die Weißen nennen mich schwarz.
Das höre ich gern. Es könnte bedeuten:
Ich bin auf dem richtigen Weg.
(Gibt es einen richtigen Weg?)

Ich beklage mich nicht. Ich beklage die,
denen mein Zweifel gleichgültig ist.
Die haben andere Sorgen.

Meine Feinde setzen mich in Erstaunen.
Sie meinen es gut mir mir.
Dem wäre alles verziehen, der sich abfände
mit sich und mit ihnen.

Ein wenig Vergeßlichkeit macht schon beliebt.
Ein einziges Amen,
gleichgültig auf welches Credo,
und ich säße gemütlich bei ihnen
und könnte das Zeitliche segnen,
mich aufhängen, im großen und ganzen,
getrost, und versöhnt, ohne Zweifel,
mit aller Welt.

Nänie auf den Apfel

Hier lag der Apfel
Hier stand der Tisch
Das war das Haus
Das war die Stadt
Hier ruht das Land.

Dieser Apfel dort
ist die Erde
ein schönes Gestirn
auf dem es Äpfel gab
und Esser von Äpfeln.

Nänie auf die Liebe

Dies haarige Zeichen
auf der Abortwand
wer erriete daraus
die Lieder die Tränen
die Gewitter der Lust
die tausend und eine Nacht
in der das Geschlecht der Menschen
wie ein Meerleuchten
sich verzehrt hat
bewahrt
und vergessen

Von Gezeugten
und Ungezeugten
zeugt nichts hier
als dies haarige Zeichen
eingeritzt
in die verkohlte Abortwand

Weiterung

Wer soll da noch auftauchen aus der Flut,
wenn wir darin untergehen?

Noch ein paar Fortschritte,
und wir werden weitersehen.

Wer soll da unsrer gedenken
mit Nachsicht?

Das wird sich finden,
wenn es erst soweit ist.

Und so fortan
bis auf weiteres

und ohne weiteres
so weiter und so

weiter nichts

keine Nachgeborenen
keine Nachsicht

nichts weiter

Die Verschwundenen

für Nelly Sachs

Nicht die Erde hat sie verschluckt. War es die Luft?
Wie der Sand sind sie zahlreich, doch nicht zu Sand
sind sie geworden, sondern zu nichte. In Scharen
sind sie vergessen. Häufig und Hand in Hand,

wie die Minuten. Mehr als wir,
doch ohne Andenken. Nicht verzeichnet,
nicht abzulesen im Staub, sondern verschwunden
sind ihre Namen, Löffel und Sohlen.

Sie reuen uns nicht. Es kann sich niemand
auf sie besinnen: Sind sie geboren,
geflohen, gestorben? Vermißt
sind sie nicht worden. Lückenlos
ist die Welt, doch zusammengehalten
von dem was sie nicht behaust,
von den Verschwundenen. Sie sind überall.

Ohne die Abwesenden wäre nichts da.
Ohne die Flüchtigen wäre nichts fest.
Ohne die Vergessenen nichts gewiß.

Die Verschwundenen sind gerecht.
So verschallen wir auch.

Leuchtfeuer

I
Dieses Feuer beweist nichts,
es leuchtet, bedeutet:
dort ist ein Feuer.
Kennung: alle dreißig Sekunden
drei Blitze weiß. Funkfeuer:
automatisch, Kennung SR.
Nebelhorn, elektronisch gesteuert:
alle neunzig Sekunden ein Stoß.

II
Fünfzig Meter hoch über dem Meer
das Insektenauge,
so groß wie ein Mensch:
Fresnel-Linsen und Prismen,
vier Millionen Hefnerkerzen,
zwanzig Seemeilen Sicht,
auch bei Dunst.

III
Dieser Turm aus Eisen ist rot,
und weiß, und rot.
Diese Schäre ist leer.
Nur für Feuermeister und Lotsen
drei Häuser, drei Schuppen aus Holz,
weiß, und rot, und weiß. Post
einmal im Monat, im Luv
ein geborstner Wacholder,
verkrüppelte Stachelbeerstauden.

IV

Weiter bedeutet es nichts.
Weiter verheißt es nichts.
Keine Lösungen, keine Erlösung.
Das Feuer dort leuchtet,
ist nichts als ein Feuer,
bedeutet: dort ist ein Feuer,
dort ist der Ort wo das Feuer ist,
dort wo das Feuer ist ist der Ort.

Trigonometrischer Punkt

I
Ein paar Winkeleisen
geteerte Balken
ein wenig Schotter.

Dies ist kein Scheiterhaufen
Dies ist keine Opferstätte
Dies ist kein Blutgerüst.

O Normalnull Normalnull
du friedlichste
aller Gottheiten.

II
Wie deutlich die Welt ist
im Fadenkreuz
des Theodoliten.

Das kühle Auge
der Dosenlibelle·
ein winziger Himmel.

III
Winkeleisen Balken Schotter
und rot weiß rot weiß rot
eine vergessene Meßlatte.

Hier ruhen grüne Liebespaare
zwischen den Eierschalen
und wilde Katzen.

Unterm Laub verbirgt sich
ein toter Partisan
aus dem nächsten Krieg.

Ich bin da wo ich bin.
Ringsum, undeutlich,
sind böhmische Dörfer.

Windgriff

Manche Wörter
leicht
wie Pappelsamen

steigen
vom Wind gedreht
sinken

schwer zu fangen
tragen weit
wie Pappelsamen

Manche Wörter
lockern die Erde
später vielleicht

werfen sie einen Schatten
einen schmalen Schatten ab
vielleicht auch nicht

Schattenbild

Ich male den Schnee.
Ich male beharrlich
ich male lotrecht
mit einem großen Pinsel
auf diese weiße Seite
den Schnee.

Ich male die Erde.
Ich male den Schatten
der Erde, die Nacht.
Ich schlafe nicht.
Ich male
die ganze Nacht.

Der Schnee fällt
lotrecht, beharrlich
auf das, was ich male.
Ein großer Schatten
fällt
auf mein Schattenbild.

In diesen Schatten
male ich
mit dem großen Pinsel
der Nacht
beharrlich
meinen winzigen Schatten.

Schattenreich

I
Hier sehe ich noch einen Platz,
einen freien Platz,
hier im Schatten.

II
Dieser Schatten
ist nicht zu verkaufen.

III
Auch das Meer
wirft vielleicht einen Schatten,
auch die Zeit.

IV
Die Kriege der Schatten
sind Spiele:
kein Schatten
steht dem andern im Licht.

V
Wer im Schatten wohnt,
ist schwer zu töten.

VI
Für eine Weile
trete ich aus meinem Schatten,
für eine Weile.

VII
Wer das Licht sehen will
wie es ist
muß zurückweichen
in den Schatten.

VIII
Schatten
heller als diese Sonne:
kühler Schatten der Freiheit.

IX
Ganz im Schatten
verschwindet mein Schatten.

X
Im Schatten
ist immer noch Platz.

Das leere Haus

Weh über den Wasserfleck in der Küche
die verbogene Gießkanne
und den Schlitten im Keller!
Über das treue Schulheft von anno 36
über all die zerkratzten Tangoplatten
über die Schuhschachteln voller Liebesbriefe
wehe! wehe! wehe!

Alles steht still

Eine riesige Rückblende

Nur wenn die S-Bahn vorbeifährt
zittern die Scheiben

Tot oder lebendig
blicken wir über den Gartenzaun
aus dem Fenster

Die Kaffeekanne
mit der gesprungenen Schnaube
wartet nicht auf uns

Zwischen den Wasserstandsmeldungen
und dem Sportbericht
legt der Disc-Jockey
in meinem Kopf
eine alte Platte auf

Wir sind nicht mehr da

Einwegflasche
Donnerwort

Im Staub liegt
das Bügeleisen von damals
und verkündet
den ewigen Frieden

Bis der Bulldozer kommt

Über die Schwierigkeiten der Umerziehung

Einfach vortrefflich
all diese großen Pläne:
das Goldene Zeitalter
das Reich Gottes auf Erden
das Absterben des Staates.
Durchaus einleuchtend.

Wenn nur die Leute nicht wären!
Immer und überall stören die Leute.
Alles bringen sie durcheinander.

Wenn es um die Befreiung der Menschheit geht
laufen sie zum Friseur.
Statt begeistert hinter der Vorhut herzutrippeln
sagen sie: Jetzt wär ein Bier gut.
Statt um die gerechte Sache
kämpfen sie mit Krampfadern und mit Masern.
Im entscheidenden Augenblick
suchen sie einen Briefkasten oder ein Bett.
Kurz bevor das Millenium anbricht
kochen sie Windeln.

An den Leuten scheitert eben alles.
Mit denen ist kein Staat zu machen.
Ein Sack Flöhe ist nichts dagegen.

Kleinbürgerliches Schwanken!
Konsum-Idioten!
Überreste der Vergangenheit!

Man kann sie doch nicht alle umbringen!
Man kann doch nicht den ganzen Tag auf sie einreden!

Ja wenn die Leute nicht wären
dann sähe die Sache schon anders aus.

Ja wenn die Leute nicht wären
dann gings ruckzuck.
Ja wenn die Leute nicht wären
ja dann!
(Dann möchte auch ich hier nicht weiter stören.)

Poetik-Vorlesung

Wenn dann am Mittwoch dieser Krawall kommt,
das klirrende Blech knallt im Gestank,
die Kübel gegen den Dreckkessel donnern,
zack! das frißt und mahlt alles was abfällt

zu Staub! Dieses Gefühl, wenn sie wieder da
waren! Dieser Neid! Diese Dankbarkeit!
Diese Leere! Freude und Wohlgefallen!

Dann betrachte ich meinen Tisch, meine Hand:
keine Asche mehr, keine Kartoffelschalen.

Eine bessere Welt, für zehn Minuten.
So vermessen wäre ich auch gern, so nützlich,
so rücksichtslos hilfreich wie die Müllabfuhr.

Die Freude

Sie will nicht daß ich von ihr rede
Sie steht nicht auf dem Papier
Sie duldet keinen Propheten

Sie wirft alles um was fest steht
Sie lügt nicht
Sie meutert

Sie allein rechtfertigt mich
Sie ist meine Vernunft
Sie gehört mir nicht

Sie ist fremd und beharrlich
Ich verberge sie
wie eine Schande

Sie ist flüchtig
Niemand kann sie teilen
Niemand kann sie für sich behalten

Ich behalte nichts
Ich teile alles mit ihr
Sie wird fortgehen

Ein anderer wird sie verbergen
auf ihrer siegreichen Flucht
durch die sehr lange Nacht

Vorschlag zur Strafrechtsreform

Wegen staatsgefährdender Störung in Tateinheit mit schwerem
    Forstwiderstand wird bestraft

wer Gegenstände zur Verschönerung öffentlicher Wege böswillig
    verschleiert
wer eine Frau zur Gestattung des Beischlafs verleitet oder einen
    andern Irrtum in ihr erregt
wer die Überwachung von Fernmeldeanlagen stört
wer vorsätzlich Süßstoff herstellt

wer den Gebrauch gewisser Beteuerungsformeln unterläßt
wer ohne Erlaubnis der zuständigen Behörde an Syphilis gelitten hat
wer auf einer Wasserstraße Gegenstände hinlegt
wer länger als drei volle Kalendertage abwesend ist

wer auf einem Eisenbahnhofe mittels Abschneidens ein wichtiges
    Glied einer Amtsperson verringert
wer es unternimmt Luftfahrer auszubilden
wer Witwenkassen errichtet
wer Orden in verkleinerter Form trägt

wer nach gewissenhafter Prüfung die Obrigkeit verächtlich macht
wer an einer Zusammenrottung teilnimmt
wer von den Reisewegen abweicht
wer eine Tatsache behauptet

wer ein männliches Tier zur Besamung verwendet
wer sich kein Unterkommen verschafft hat
wer Befehle böswillig abreißt
wer die Schlagkraft gefährdet

wer ein Zeichen der Hoheit beschädigt
wer sich dem Müßiggang hingibt
wer Einrichtungen beschimpft
wer seine Richtung ändern will

wer sich mit Wort und Tat auflehnt
wer einen Haufen bildet
wer Widerstand leistet
wer sich nicht unverzüglich entfernt

wer ohne Vorwissen der Behörde oder seines Vorteils wegen oder vorsätzlich oder als Landstreicher oder um unzüchtigen Verkehr herbeizuführen oder mittelst arglistiger Verschweigung oder gegen Entgelt oder wissentlich oder durch Drohung mit einem empfindlichen Übel oder gröblich oder grobfahrlässig oder fahrlässig oder böswillig oder ungebührlicherweise oder auf Grund von Rechtsvorschriften oder ganz oder teilweise oder an besuchten Orten oder unter Benutzung des Leichtsinns oder nach sorgfältiger Abwägung oder mit gemeiner Gefahr oder durch Verbreitung von Schallaufnahmen oder auf die vorbezeichnete Weise oder unbefugt oder öffentlich oder durch Machenschaften oder vor einer Menschenmenge oder in einer Sitte und Anstand verletzenden Weise oder in der Absicht den Bestand der Bundesrepublik Deutschland zu beeinträchtigen oder mutwillig oder nach der dritten Aufforderung oder als Rädelsführer oder Hintermann oder in der Absicht Aufzüge zu sprengen oder wider besseres Wissen oder mit vereinten Kräften oder zur Befriedigung des Geschlechtstriebs oder als Deutscher oder auf andere Weise

eine Handlung herbeiführt oder abwendet
oder vornimmt oder unterläßt
oder verursacht oder erschwert
oder betreibt oder verhindert
oder unternimmt oder verübt oder bewirkt oder begeht
oder befördert *oder* beeinträchtigt
oder befördert *und* beeinträchtigt
oder befördert *und nicht* beeinträchtigt
oder beeinträchtigt *und nicht* befördert
oder *weder* befördert *noch* beeinträchtigt.

Das Nähere regelt die Bundesregierung.

Lied von denen auf die alles zutrifft und die alles schon wissen

Daß etwas getan werden muß und zwar sofort
das wissen wir schon
daß es aber noch zu früh ist um etwas zu tun
daß es aber zu spät ist um noch etwas zu tun
das wissen wir schon

und daß es uns gut geht
und daß es so weiter geht
und daß es keinen Zweck hat
das wissen wir schon

und daß wir schuld sind
und daß wir nichts dafür können daß wir schuld sind
und daß wir daran schuld sind daß wir nichts dafür können
und daß es uns reicht
das wissen wir schon

und daß es vielleicht besser wäre die Fresse zu halten
und daß wir die Fresse nicht halten werden
das wissen wir schon
das wissen wir schon

und daß wir niemand helfen können
und daß uns niemand helfen kann
das wissen wir schon

und daß wir begabt sind
und daß wir die Wahl haben zwischen nichts und wieder nichts
und daß wir dieses Problem gründlich analysieren müssen
und daß wir zwei Stück Zucker in den Tee tun
das wissen wir schon

und daß wir gegen die Unterdrückung sind
und daß die Zigaretten teurer werden
das wissen wir schon

und daß wir es jedesmal kommen sehen
und daß wir jedesmal recht behalten werden
und daß daraus nichts folgt
das wissen wir schon

und daß das alles wahr ist
das wissen wir schon

und daß das alles gelogen ist
das wissen wir schon

und daß das alles ist
das wissen wir schon

und daß Überstehn nicht alles ist sondern gar nichts
das wissen wir schon

und daß wir es überstehn
das wissen wir schon

und daß das alles nicht neu ist
und daß das Leben schön ist
das wissen wir schon
das wissen wir schon
das wissen wir schon

und daß wir das schon wissen
das wissen wir schon

Badezimmer

Das stumme Porzellan
kennt uns am besten.
Hinter dem Spiegel
sind die Tabletten.
Ein Klirren ein Rascheln
hinter verschlossener Tür.
Die Seife wartet.
Jeder für sich.
Die Brause. Die Brille.
Die blutige Watte.
Immer dieselben
Geheimnisse.
Weiß und geduldig.
Auch der Selbstmord
nötigt dem Porzellan
kein Stirnrunzeln ab.
Das frische Handtuch.
Die einsame Zahnbürste.
Das Individuum.
Gelegentlich
hört man es rauschen.
Winzige Perlen
im Spiegel.
Unter dem Tau hin
schmilzt das Gesicht.

Die Scheiße

Immerzu höre ich von ihr reden
als wär sie an allem schuld.
Seht nur, wie sanft und bescheiden
sie unter uns Platz nimmt!
Warum besudeln wir denn
ihren guten Namen
und leihen ihn
dem Präsidenten der USA,
den Bullen, dem Krieg
und dem Kapitalismus?

Wie vergänglich sie ist,
und das was wir nach ihr nennen
wie dauerhaft!
Sie, die Nachgiebige,
führen wir auf der Zunge
und meinen die Ausbeuter.
Sie, die wir ausgedrückt haben,
soll nun auch noch ausdrücken
unsere Wut?

Hat sie uns nicht erleichtert?
Von weicher Beschaffenheit
und eigentümlich gewaltlos
ist sie von allen Werken des Menschen
vermutlich das friedlichste.
Was hat sie uns nur getan?

Die Macht der Gewohnheit

I

Gewöhnliche Menschen haben für gewöhnlich
für gewöhnliche Menschen nichts übrig.
Und umgekehrt.
Gewöhnliche Menschen finden es ungewöhnlich,
daß man sie ungewöhnlich findet.
Schon sind sie keine gewöhnlichen Menschen mehr.
Und umgekehrt.

II

Daß man sich an alles gewöhnt,
daran gewöhnt man sich.
Man nennt das gewöhnlich
einen Lernprozeß.

III

Es ist schmerzlich,
wenn der gewohnte Schmerz ausbleibt.
Wie müde ist das aufgeweckte Gemüt
seiner Aufgewecktheit!
Der einfache Mensch da z. B. findet es schwierig,
ein einfacher Mensch zu sein,
während jene komplexe Persönlichkeit
ihre Schwierigkeiten herleiert
wie die Betschwester den Rosenkranz.
Überall diese ewigen Anfänger,
die längst am Ende sind.
Auch der Haß ist eine liebe Gewohnheit.

IV

Das noch nie Dagewesene
sind wir gewohnt.
Das noch nie Dagewesene
ist ein Gewohnheitsrecht.

Ein Gewohnheitstier
trifft an der gewohnten Ecke
einen Gewohnheitsverbrecher.
Eine unerhörte Begebenheit.
Die gewöhnliche Scheiße.
Die Klassiker waren gewöhnt,
Novellen daraus zu machen.

V
Sanft ruhet die Gewohnheit der Macht
auf der Macht der Gewohnheit.

Hommage à Gödel

Münchhausens Theorem, Pferd, Sumpf und Schopf,
ist bezaubernd, aber vergiß nicht:
Münchhausen war ein Lügner.

Gödels Theorem wirkt auf den ersten Blick
etwas unscheinbar, doch bedenk:
Gödel hat recht.

»In jedem genügend reichhaltigen System
lassen sich Sätze formulieren,
die innerhalb des Systems
weder beweis- noch widerlegbar sind,
es sei denn das System
wäre selber inkonsistent.«

Du kannst deine eigene Sprache
in deiner eigenen Sprache beschreiben:
aber nicht ganz.
Du kannst dein eignes Gehirn
mit deinem eignen Gehirn erforschen:
aber nicht ganz.
Usw.

Um sich zu rechtfertigen
muß jedes denkbare System
sich transzendieren,
d. h. zerstören.

»Genügend reichhaltig« oder nicht:
Widerspruchsfreiheit
ist eine Mangelerscheinung
oder ein Widerspruch.

(Gewißheit = Inkonsistenz.)

Jeder denkbare Reiter,
also auch Münchhausen,
also auch du bist ein Subsystem
eines genügend reichhaltigen Sumpfes.

Und ein Subsystem dieses Subsystems
ist der eigene Schopf,
dieses Hebezeug
für Reformisten und Lügner.

In jedem genügend reichhaltigen System,
also auch in diesem Sumpf hier,
lassen sich Sätze formulieren,
die innerhalb des Systems
weder beweis- noch widerlegbar sind.

Diese Sätze nimm in die Hand
und zieh!

Wunschkonzert

Samad sagt Gib mir einen Fladen Brot
Frl. Brockmann sucht eine gemütliche kleine Komfortwohnung
 nicht zu teuer mit Kochnische und Besenkammer
Veronique sehnt sich nach der Weltrevolution
Dr. Luhmann möchte unbedingt mit seiner Mamma schlafen
Uwe Köpke träumt von einem Kabinettstück Thurn und Taxis
 sieben Silbergroschen hellblau ungezähnt
Simone weiß ganz genau was sie will Berühmt sein Einfach
 berühmt sein ganz egal wofür und um welchen Preis
Wenn es nach Konrad ginge bliebe er einfach im Bett liegen
Mrs. Woods möchte andauernd gefesselt und vergewaltigt werden
 aber nur von hinten und nur von einem Gentleman
Guido Ronconis einziger Wunsch ist die unio mystica
Fred Podritzke schlüge am liebsten mit einem Gasrohr auf all diese
 Spinner ein bis sich keiner mehr rührte
Wenn er jetzt nicht sofort sein Sahneschnitzel mit Gurkensalat
 bekommt wird Karel aber durchdrehen
Was Buck braucht ist ein Flash und sonst nichts

Und Friede auf Erden und ein Heringsbrötchen und ·den herr-
 schaftsfreien Diskurs und ein Baby und eine Million
 steuerfrei und ein Stöhnen das in die bekannten kleinen
 atemlosen Schreie übergeht und einen Pudel aus Plüsch und
 Freiheit für alle und Kopf ab und daß uns die ausgefallenen
 Haare wieder nachwachsen über Nacht

Das Einverständnis

Der Mann, der es gut meint, ist unter uns.
Er bemüht sich. Alle sind wütend,
wütend auf ihn. Er ist einverstanden
mit den Wütenden, völlig einverstanden.
Aber das ist es ja eben. Also gut,
wenn es nicht anders geht, sagen wir,
sei mit uns einverstanden,
aber bitte nicht restlos, bitte nicht
jedesmal, bitte nicht augenblicklich.

Der Mann, der es gut meint, zögert
einen Moment und sagt: Ihr habt recht.
Entschuldigt, sagt er, ich habe gezögert.
Das war vielleicht falsch. Er bittet uns
um Verständnis. Er macht uns wahnsinnig.
Er sieht ein, daß er es ist,
der uns wahnsinnig macht. Hau ab,
sagen wir. Unter der Tür bleibt er stehen
und keucht. Ich bin einverstanden.

Abgesehen davon

Der hinkende Hausmeister im Institut
für mittelalterliche Handschriftenkunde
mit seinem Staubsauger, geboren
in der Bukowina vor den Kriegen
und vorbestraft wegen Kindesmißhandlung;
die schwangere Schwarze
mit ihrem riesigen Kopfhörer, die wirr
vor sich hinbetet am Washington Square;
der einsame Wassertank auf dem Dach,
wie er rostet und rostet;
die Zweireiher in ihren Bussen
hinter getöntem Glas;
und der Gallenkranke mit seinen Koffern,
der eine Dreizimmerwohnung sucht
für seine Schmetterlingssammlung:
Wer davon nicht absehen kann,
ist kein Theoretiker.
Ringsum geschehen sorglose Morde.
Je größer die Perspektiven,
desto kleiner wird alles.
Vor den Ampeln warten die Seelen,
bewegen sich, leicht wie Fliegen,
warten. Das Gefühl der Gefühllosigkeit
auf dem Parkplatz, die unterwegs
abhandengekommenen Beweggründe und Begierden,
die Frage wo Ich geblieben ist,
und, abgesehen davon, die Erklärungen,
die hieb- und stichfest vorbeiziehen
wie über dem Wassertank auf dem Flachdach
des Instituts der Goodyear-Zeppelin
hoch über der Dreizehnten Straße.

Giovanni de' Dondi (1318–1389)

Giovanni de' Dondi aus Padua
verbrachte sein Leben
mit dem Bau einer Uhr.

Einer Uhr ohne Vorbild, unübertroffen
vierhundert Jahre lang.
Das Gangwerk mehrfach,
elliptische Zahnräder,
verbunden durch Gelenkgetriebe,
und die erste Spindelhemmung:
eine unerhörte Konstruktion.

Sieben Zifferblätter
zeigen den Zustand des Himmels an
und die stummen Revolutionen
aller Planeten.
Ein achtes Blatt,
das unscheinbarste,
wies die Stunde, den Tag und das Jahr:
A. D. 1346.

Geschmiedet mit eigener Hand:
eine Himmelsmaschine,
zwecklos und sinnreich wie die *Trionfi,*
eine Uhr aus Wörtern,
erbaut von Francesco Petrarca.

Aber wozu vergeudet ihr eure Zeit
mit meinem Manuskript,
wenn ihr nicht fähig seid,
es mir nachzutun?

Dauer des Tageslichts,
Knoten der Mondbahn,
bewegliche Feste.
Ein Rechenwerk, und zugleich
der Himmel noch einmal.

Aus Messing, aus Messing.
Unter diesem Himmel
leben wir immer noch.

Die Leute von Padua
sahen nicht auf die Uhr.
Ein Putsch folgte dem andern.
Pestkarren rollten über das Pflaster.
Die Bankiers
stellten ihre Positionen glatt.
Es gab wenig zu essen.

Der Ursprung jener Maschine
ist problematisch.
Ein Analog-Computer.
Ein Menhir. Ein Astrarium.
Trionfi del tempo. Überbleibsel.
Zwecklos und sinnreich
wie ein Gedicht aus Messing.

Nicht Guggenheim sandte
Francesco Petrarca Schecks
zum Ersten des Monats.
De' Dondi hatte keinen Kontrakt
mit dem Pentagon.

Andere Raubtiere. Andere
Wörter und Räder. Aber
derselbe Himmel.
In diesem Mittelalter
leben wir immer noch.

Niccolò Machiavelli (1469–1527)

Niccolò Niccolò fünfhundertjähriger Bruder
diesen Kranz aus dürren Worten drück ich dir auf den harten
Schädel

Unter uns gesagt haben wir allen Grund dich zu bewundern
dürr und kleinkariert und zerfressen von Theorien

Niccolò Meister des kriechenden Ganges
ewig gekränkter Staatsdiener einer schäbigen Republik

Generalstäbler, Botschafter, *Herrlichkeit,* Polizist
immer zu schlecht bezahlt für deinen Geschmack eines Parvenus

Vorbild aller Geschichtsschreiber *(Ob ich, ohne allzusehr anzustoßen,
diese Begebenheiten herausstreichen oder herabsetzen darf)*

So wie einst du wühlen sie heute noch in dreckigen Schubladen
vollgestopft mit zerbrochenen Zinnsoldaten und schimmligen
Herzögen

Als kleiner Krautjunker frißt du nun *Feigen und Bohnen und
Dörrfleisch,*
den Maden abgejagt, und bist beschäftigt mit Gallensteinen und
Holzverkauf

Und was deine Weiber betrifft, so hast du sie wie Schnepfen
gerupft
am Samstagabend, und sie erschienen deinem Maklergehirn wie
bewegliche Sachen

*In meinem Mauseloch, wo ich keine Seele finde, die sich meiner
treuen Dienste
erinnert, streite ich mich um zehn Lire Spielschulden herum*

Keine Angst, Niccolò, wir wissen deine Verdienste zu schätzen
und wir erinnern uns deiner großen Zeiten

Zum Beispiel anno 1502 in Pistoia, wer riet wohl damals dem
    Chef:
Die Städte ausradieren, die Erde verbrennen, die Einwohner
deportieren?

Und wer da Widerstand leistete, ans Wippseil mit ihm, an den
    Galgen?
Denn einige wenige abschreckende Strafen sind milder als
übertriebene Langmut

Das war ein gutes Jahr für Mr Borgia, *unübertroffen glänzend und*
    groß,
für seinen Ghostwriter Niccolò und für die First National City
    Bank of Florence

Zehn Jahre später die Katastrophe, Undank der Welt Lohn,
Pensionierung mit dreiundvierzig, ein ranziges Landgut

Tränen des Selbstmitleids: *Denn nirgends froher*
erhebt sein Haupt der Undank als in des Volkes Herzen

Unverstanden wie jedes bessere Genie, Feldherr
auf einem Maulwurfshügel, Hausierer mit ewigen Wahrheiten:

Dies ist der Kreislauf in dem sich alle Staatsgebilde der Welt
gedreht haben, drehen und immerdar drehen werden

Beweis: die Geschichte, dein Selbstportrait, ein Rattenkönig
von Plünderungen, Meineiden und irren Intrigen

Nach des Tages Last werfe ich den schmutzigen Bauernkittel ab,
lege prächtige Hofgewänder an und begebe mich in die
    Säulenhalle der Alten

Und abends die lyrische Seele: Bettlersonette an den Gangster vom
    Dienst
Was ein rechter Renaissancemensch ist, das krümmt sich beizeiten

Niccolò Niccolò höchste Blüte Europas, vollgestopft
mit Staatsraison bis zum Hals und einem fabelhaften Gewissen

Du hast deine Leser durchschaut, Napoleon, Franco, Stalin und
    mich,
deine dankbaren Schüler, und dafür verdienst du Lob:

Für deine kahlen steinernen Sätze, für deinen Mut zur Feigheit,
deine tiefsinnige Banalität, und deine Neue Wissenschaft

Niccolò, Schuft, Dichter, Opportunist, Klassiker, Henker:
du bist der Alte Mensch wie er im Buche steht, und dafür lob ich
    dein Buch

Bruder Niccolò, das vergeß ich dir nicht, und daß deine Lügen
so oft die Wahrheit sagen, dafür verfluche ich deine krumme
    Hand.

Jacques de Vaucanson (1709–1782)

Das Publikum war exquisit. Ein Knistern
ging durch die seidenen Toiletten: Phantastisch!
Ein Chef-d'œuvre: die mechanische Ente.
Auch Diderot war begeistert. Der Automat
watschelte, planschte im Wasser:
Welche Delikatesse in allen Teilen!

Die Flügel glitzerten in der Sonne,
zwei mal vierhundert bewegliche Teile.
Ein metallisches Flirren, ein Schnattern
aus Stahl und Lack. Der Künstler errötet.
Bescheiden, reizend, ein wenig linkisch.

Aber je größer und komplexer eine Maschine,
desto mehr Verbindungen finden statt
zwischen ihren einzelnen Teilen;
je weniger man diese Verbindungen kennt,
desto mehrdeutiger wird unser Urteil sein.

Bravo! Der Kardinal de Fleury umarmt nach der Vernissage
den Erfinder, und flugs beruft er ihn an die Spitze
der Seidenmanufaktur zu Lyon.
Welcher Fall tritt also ein, wenn die Maschine
in jeder Hinsicht unendlich ist?

Sonderbar, wie sich der neue Inspekteur
einschließt. Fragt niemand, zeichnet fieberhaft.
Der Traum der Vernunft gebiert Ungeheuer:
Maschinen zum Bau von Maschinen.
Der automatische Webstuhl, angetrieben
von einem einzigen Wasserrad (oberschlächtig)
über endlose Ketten. *Vollkommenheit, Ökonomie.*

Der geglättete Eisendraht, geschnitten
in immergleiche Stücke, und immer gleich
an jedem Ende gebogen zu gleichen Gliedern;
ein Haken, immer gleich, nimmt den Draht auf,
der das nächste Glied zu bilden bestimmt ist.

Von der Haspelei bis zum Walkwerk
ein integrierter industrieller Komplex,
gut ausgeleuchtet, voll klimatisiert:
ein Entwurf von unerhörter Eleganz.
(Zwischen Rendite und Ingenium
finden gewisse Verbindungen statt.)

Von nun an bringen die Arbeiter von Lyon
jede wache Stunde ihres Lebens
in einem riesigen Spielzeug zu,
in dem sie gefangen sind: *dergestalt,
daß ein jeder fortwährend den immer gleichen
einfachen Handgriff ausführt,
und zwar immer besser und rascher.*

Welcher Fall tritt also ein,
wenn die Weber sich wehren?
Zerbrecht das Haspelwerk!
Steinigt den Blutsauger!

*Dem aufsässigen Pöbel zur Strafe
konstruierte er einen Esel,
welcher ein geblümtes Zeuch webte.*
Und so fort. *(Wer aber den Menschen
das Licht der Aufklärung bringt,
der muß gefaßt sein auf Nachstellungen.)*

Dann Jacquard. Jacquard war der Nächste
mit seinen Lochkarten. Fortschritte,
Barrikaden. *Die Blutbäder
waren unvermeidlich.*

Auch die Ente wurde verbessert:
Schließlich pickte sie Körner auf,
verdaute sie sorgfältig, und *der Gestank,
der sich jetzt im Raume verbreitet,
ist unerträglich. Wir möchten dem Künstler
die Freude ausdrücken, die seine zauberhafte
Erfindung uns allen bereitet hat.*

Lazzaro Spallanzani (1729–1799)

Der Abbé, ein hochfahrender Mann, *kleines Kinn, stechende Augen,*
von elektrischem Temperament, doch ziemlich fett, besteigt den Vesuv,
scharrt im Kraterfeld, um die frische Lava einzuverleiben

seinem berüchtigten Kabinett, darin Gekröse, Mißgeburten,
Würmer in Flaschen. Nach Spiritus riecht es, nach fauligem Fleisch.
In die beißenden, ranzigen Schwaden mischt sich ein Schwefeldunst.

Einer nie zuvor gedachten Klasse von Fragen nachsinnend,
handelt er, um die Antworten aufzufinden, zweckmäßig: zweckmäßig
führt er Knochenschere, Skalpell, rotglühende Nadeln. Wohin

fliegt die geblendete Fledermaus? Das Gehirn der geschlachteten Kuh,
die Muskeln des toten Hundes, und die Lunge der ertrunkenen Frau,
unter der Glasglocke atmen sie weiter, stundenlang. *Heureka!*

rief ich aus, überwältigt von dieser unerwarteten Freude.
Man amputiere den Salamander, man verscheuche die Aasfliegen,
man amputiere und amputiere und amputiere und amputiere wieder:

Wachsen ihm Schwanz und Beine und Kiefer nach, auch beim fünftenmal?
Den Regenwurm teile man längs und quer, in fünf Stücke. Man köpfe ihn.
Die Folgen dieser Handlungen stelle man sorgfältig fest.

Dieses Geschöpf wird Ihnen, je gründlicher Sie sich mit ihm
befassen,
desto wunderbarer erscheinen. Sie gewinnen ihm neue Seiten ab,
so fabelhaft, daß man fortan sagen wird: Schön wie ein
Regenwurm.

Seine Polemiken sind gefürchtet. Rücksichtslose Rancune
in Fußnoten, giftiger Zwist. Die Gelehrten belauern sich wie
Skorpione,
stechen plötzlich zu und sonnen sich dann knickrig in ihrem
Triumph.

Experimenteller Reflex: *Über die Verdauungsgeschäfte des*
Menschen
und verschiedener Thier-Arten. Nimm einen Schwamm, knüpfe
denselben
an einen Faden, verschlucke ihn, hol dir den Magensaft aus dem
Leib.

Reiß einer Katze nach dem Fraße den Magen heraus, vernäh das
Organ,
leg es in warmes Wasser und demonstriere so auf dem Tisch
die Verdauung der Leichen. *Etwas Schöneres kann es nicht geben.*

Ein aufgeklärtes Jahrhundert. Aber von Aasfliegen wimmelt es.
Der Abbé ist ein Triebtäter. Molche kopuliert er mit Kröten:
monströse Vereinigungen. Aus den geöffneten Weibchen holt er
den Laich,

dann schlachtet er Männchen, zapft ihre Milch ab, und pflanzt die
Toten fort.
Dieses erstaunliche Schauspiel hat meine Phantasie beflügelt.
(Im selben Jahr konstruiert Réaumur in Paris eine *künstliche*
Mutter.)

Er masturbiert einen Hund und spritzt einer Hündin das Sperma
ein.
Ich kann aufrichtig sagen, daß mir ein lebhafteres Vergnügen
niemals zuteil ward. Das Tier wirft. (Bald folgt ihm die erste Frau.)

Ziemlich fett, von elektrischem Temperament, kleines Kinn:
Solche Beschreibungen besagen nicht viel, sowenig wie unser
  Brechreiz.
Die gärende Gelatine stinkt, der grünliche Schleim stockt in der
  Phiole,

es regt sich die *unerwartete Freude,* und auf dem befleckten Besteck
sitzen die Fliegen. Zweckmäßig verfolgt der Mensch sein
  Geschäft,
eine Tierart, die frohlockend voranschreitet. *Heureka!*

Die Folgen dieser Handlungen stelle man sorgfältig fest.

Michail Aleksandrovič Bakunin (1814–1876)

Ich wünschte nur eines, rief er, *das Gefühl der Empörung,*
das mir heilig ist, bis an mein Ende ganz und voll zu bewahren! –
Marktschreier, Dickkopf, verdammter Kosak! – Das ist die Liebe
zum Phantastischen, ein Hauptfehler meiner Natur. –
Mohammed
ohne Koran! – Die Ruhe bringt mich zur Verzweiflung. – Ein
Gaukler,
ein Papst, ein Ignoramus! – Sein Herz und sein Kopf sind aus
Feuer.

Ja, Bakunin, so muß es gewesen sein. Ein ewiges Nomadisieren,
närrisch und selbstvergessen. Unerträglich, unvernünftig,
unmöglich
warst du! Meinetwegen, Bakunin, kehr wieder, oder bleib wo du
bist.

Eine lange Gestalt in blauem Frack auf den Dresdener Barrikaden,
mit einem Gesicht, darin sich die roheste Wuth ausdrückte. Feuer
ans Opernhaus! Und als alles verloren war, *verlangte er, in der*
Hand
die Pistole, von der Provisorischen Revolutions-Regierung,
sie möge sich (und ihn) in die Luft sprengen. (Merkwürdige
Kaltblüthigkeit.)
Mit großer Mehrheit lehnten die Herren den Antrag ab.

Erinnerst du dich, Bakunin? Immer dasselbe. Natürlich hast du
gestört.
Kein Wunder! Und du störst heute noch. Verstehst du? Du störst
ganz einfach. Und darum bitte ich dich, Bakunin: kehr wieder.

Verhört, an die Wand geschmiedet in den Olmützer Kasematten,
zum Tod verurteilt, nach Rußland verschleppt, *begnadigt zu*
ewigem Kerker:
ein höchst gefährlicher Mensch! In seine Zelle läßt ihm ein Gönner
einen Flügel von Lichtenthal bringen. Die Zähne fallen ihm aus.

Für seine Oper *Prometheus* erfindet er *eine süße, klagende Melodie,*
zu deren Takt er in kindlicher Weise sein Löwenhaupt wiegte.

Ach, Bakunin, das sieht dir ähnlich. (*Sein Löwenhaupt wiegte:*
noch zwanzig Jahre danach, in Locarno.) Und weil es dir ähnlich sieht,
und weil du uns doch nicht helfen kannst, Bakunin, bleib wo du bist.

Verbannt nach Sibirien, und den eisblauen Amur entlang geflohen
über das Stille Meer, auf Dampfseglern, Schlitten, Pferden,
Expreßzügen, quer durch das wüste Amerika, sechs Monate lang
ohne Aufenthalt, endlich, in Paddington, kurz vor Neujahr,
aus dem Hansom gestürzt, die Treppe hinauf, in Herzens Arme
warf er sich und rief aus: *Wo gibt es hier frische Austern?*

Weil du, mit einem Wort, unfähig bist, Bakunin, weil du nicht taugst
zum Abziehbild zum Erlöser zum Bürokraten zum Kirchenvater
zum rechten oder zum linken Bullen, Bakunin: kehr wieder, kehr wieder!

Zurück im Exil. *Nicht nur das Grollen des Aufruhrs, der Lärm der Clubs,*
der Tumult auf den Plätzen; auch die Bewegtheit des Vorabends,
auch die Absprachen, Chiffren, Losungen machten ihn glücklich.
Großer Obdachloser, verfolgt von den Gerüchten, Legenden, Verleumdungen!
Magnetisches Herz, naiv und verschwenderisch! Er schimpfte und schrie,
ermunterte und entschied, den ganzen Tag und die ganze Nacht.

Nicht wahr? Und weil deine *Tätigkeit*, dein *Müßiggang*, dein *Appetit*,
dein *ewiges Schwitzen sowenig von menschlichem Ausmaß sind*
wie du selber, darum rate ich dir, Bakunin, bleib wo du bist.

Sein Biograph, der Allwissende, sagt: Er war impotent. Aber Tatjana,

die kleine verbotene Schwester, Harfe spielend im weißen
    Herrenhaus,
machte ihn rasend. Zwar seine drei Kinder sind nicht von ihm.
Doch Nečaev, dem Mythomanen, dem Mörder, dem Jesuiten,
    Erpresser
und Märtyrer der Revolution, schrieb er: *Mein kleiner Tiger, mein
    Boy,*
*mein wilder Liebling! (Der Despotismus der Erleuchteten ist der
    ärgste.)*

Ach, schweigen wir von der Liebe, Bakunin. Sterben wolltest du
    nicht.
Du warst kein politökonomischer Todesengel. Du warst
    verworren
wie wir, und arglos. Kehr wieder, Bakunin! Bakunin, kehr wieder.

Endlich die Nacht in Bologna. Es war im August. Er stand am
    Fenster.
Er lauschte. Nichts regte sich in der Stadt. Die Turmuhren
    schlugen.
Die Insurrektion war gescheitert. Es wurde hell. In einem
    Heuwagen
versteckte er sich. Den Bart abrasiert, im Habit eines Pfarrers,
ein Körbchen Eier im Arm, mit grüner Brille, am Stock zum
    Bahnhof
ist er gehumpelt, um in der Schweiz zu sterben, im Bett.

Das ist jetzt schon lange her. Es war damals wohl zu früh, wie
    immer,
oder zu spät. Nichts hat dich widerlegt, nichts hast du bewiesen,
und darum bleib, bleib wo du bist, oder, meinetwegen, kehr
    wieder.

Enorme Fleisch- und Fettmassen, Wassersucht, Blasenleiden.
Polternd lacht er, raucht unablässig, keucht, vom Asthma gehetzt,
verschlüsselte Telegramme liest er und schreibt mit sympathetischer
    Tinte:
Ausbeuten und Regieren: ein- und dasselbe. Er ist aufgedunsen
    und zahnlos.

Alles bedeckt sich mit Tabaksasche, Teelöffeln, Zeitungen. Vor
  dem Haus
tänzeln die Spitzel. Überall Wirrwarr und Schmutz. Die Zeit
  verrinnt.

Nach Polizei riecht Europa immer noch. Darum, und weil es nie
  und nirgends,
Bakunin, ein Bakunin-Denkmal gegeben hat, gibt oder geben
  wird,
Bakunin, bitte ich dich: kehr wieder, kehr wieder, kehr wieder.

Henry Morgan Stanley (1841–1904)

ANSICHTSKARTE (1)

Das falsche Bewußtsein im Tropenhelm.
Heroismus, handkoloriert.
Urwälder, Wüsten, Prärien: alles Staffage.
Jede Geste gestellt, die Geschichte
ein Vorwand für Reportagen.
Fortsetzung folgt.
Zeilenschinder, Idealist, Söldner.
Spesenritter, Streber, Agent.
Tourist der Blutbäder,
Schmeißfliege des Genozids:
Niederwerfung der Kiowa, der Comanchen und Sioux (1867),
Expedition gegen Abessinien (1868),
Massaker an der Goldküste (1873):
immer dabei *in seiner hochherzigen Art.*

INVENTAR EINER EXPEDITION (1)

Ein Anführer, ein erster Adjutant, ein zweiter Adjutant, ein Büch-
senträger, ein Dolmetscher, ein Hauptfeldwebel, drei Feldwebel,
23 Mann Wache, 157 Träger, ein Koch, ein Schneider, ein
Zimmermann, zwei Pferde, 27 Esel, ein Hund, einige Ziegen;
71 Kisten mit Munition, Kerzen, Seife, Kaffee, Tee, Zucker, Mehl,
Reis, Sardinen, Pemmikan, Dr Liebig's Fleischextrakt, Pfannen,
Töpfe, drei Zelte, zwei Faltboote, eine Badewanne.

ANSICHTSKARTE (2)

Eine höhere Mission: *Die entarteten Glieder*
der Menschheitsfamilie emporzuheben
auf unsere Stufe (Livingstone).
Verzogene Kinder, Troglodyten,
höllisches Gesindel: diebisch, zutraulich,
abergläubisch, grausam, gutmütig, blöde,
unzuverlässig, feige, blutdürstig, faul.
Kalulu, mein Prinz, mein König, mein Sklave:

der Boy, angebetet und ausgepeitscht.
Die Striemen auf jenem kleinen, verhaßten,
hinreißenden, unerreichbaren schwarzen Hintern.
Keusche, unverdorbene Natur.
Der Dunkle Erdteil:
Entdeckung, Erschließung, Durchdringung.
Strafen *für mein böses Selbst:*
Insekten, Schlingpflanzen, Unterholz,
Schlamm, tropischer Regen, Kröten,
eisiger Nebel, Morast, Durst, Fieber,
Geschwüre, Sonnenglut, Hunger,
seltsame Krankheiten, Fallen,
vergiftete Pfeile, Starrkrampf,
Selbstmordgedanken, Wahn.

INVENTAR EINER EXPEDITION (2)

Fünfzehn Kilometer amerikanischer Kattun, ungebleicht; sieben
Kilometer indischer Köper, blau, leichte Ware; fünf Kilometer rosa Musselin und scharlachfarbene Wolle;
Glasperlen: 36 500 Ketten aus einer Million Perlen, sortiert nach
elf Farben und Arten: aus Glas, Porzellan und Koralle; Größe 5
(Handmurmel) bis Größe 0 (Staubperle); gagatschwarz, ziegelrot,
taubengrau, glasurblau und palmgrün;
350 Pfund reiner Messingdraht Nr. 5 und Nr. 6 in handelsübli-
chen Rundgebinden.

ANSICHTSKARTE (3)

Ein einziger Privatmann
hat der zivilisierten Welt
mehr als fünf Millionen km²
einverleibt:
Comité d'Études du Haut-Congo.
Stichbahnen, Hafenanlagen,
Edelholz, Gummi und Elfenbein:
Lasset die Kindlein zu mir kommen!
Der Festsaal der Brüsseler Börse,
geschmückt mit afrikanischen Speeren,
in der Mitte ein tropisches Blumenbukett,

aus dem vierhundert Elefantenzähne sprießten.
Für die Häuptlinge rote Käppis,
die abgelegten Livreen der Lakaien.
Strahlendes Licht des Christentums.

INVENTAR EINER EXPEDITION (3)

Zwei sechzehnschüssige Gewehre (ein Winchester, eine Henry);
drei Hinterlader (zwei Starr und ein Jocelyn); eine Elefantenbüch-
se; eine Doppelflinte mit glatt gezogenem Lauf; zwei Revolver; 24
Steinschloßgewehre, sechs Pistolen, eine Streitaxt, zwei Säbel,
zwei persische Dolche, ein Sauspieß, 26 Beile und 24 Schlächter-
messer.

ANSICHTSKARTE (4)

Schüchtern, weinerlich, immer gekränkt:
Ich bin nicht in diese Welt geboren,
um glücklich zu sein. Große Füße,
rotes Gesicht. 25 Jahre Malaria:
Schüttelfrost. Das Bett zittert,
die Gläser auf dem Nachttisch
klirren die ganze Nacht. Senilität.
Kauft sich ein kleines Landgut in Surrey.
Der Garten ein Liliput-Afrika, ein Kral
aus dem Steinbaukasten.
Harkt Kieswege durch den Arumini-Dschungel,
ein Stachelbeerbeet; ein Steg führt über den Kongo:
Vergißmeinnicht. *Und meine Gedanken*
brausten einher wie die gewaltige Orgel
im Kristallpalast.

ENVOI

Ausgestopft von eigener Hand,
eine Mumie aus Papiermaché.
Ein leichter Kampfergeruch
umgibt die Trophäe im Tropenmuseum.
Der Gestank der Leichen,
die er hinterließ,
ist kaum mehr zu spüren.

Ugo Cerletti (1877–1963)

I

Und *ich begab mich zum Schlachthof* (und war Dir. Neurobiolog. Inst. Mailand) und *ich sah die Schweineschädel zwischen den schweren Metallzangen* (und mein Herrenzimmer in der Via Savoia) *und den Schalthebel* (und meine antiken Bronzestatuetten auf dem Schreibtisch) und *ich bemerkte wie die Tiere bewußtlos zusammensanken und steif wurden* (und Prof. f. Neuropsychiatrie Univ. Bari Univ. Genua Univ. Rom) *und wie sie dann nach ein paar Sekunden in Krämpfe verfielen* (und Erfinder eines Zeitzünders für Artillerie und Luftwaffe) und *ich dachte daß hier für meine Versuche ein äußerst wertvolles Material vorlag* (und meine Orden und Goldmedaillen) und *ich beschloß zu untersuchen welche Dosis welche Spannung und welche Methode erforderlich wären um den Tod der Schweine herbeizuführen* (und Präs. Ital. Ges. f. Psychiatrie) und *ich gab ihnen Stromstöße durch den Schädel von verschiedenen Seiten* (und Ehrenmitgl. Komitee f. Biol. u. Med. des Nationalen Forschungsrates) *und durch den Rumpf mehrere Minuten lang* (und Kandidat für den Nobelpreis) und *es fiel mir auf, daß die Tiere selten verendeten wenn der Strom durch ihren Kopf floß* (und meine Haushälterin und mein Rauchverzehrer in Gestalt einer Porzellaneule) *und daß sie nach heftigem Starrkrampf minutenlang liegenblieben* (und Dr. h. c. Sorbonne Paris) *und sich dann mühsam erhoben* (und Dr. h. c. Rio de Janeiro und São Paolo und Montréal für bahnbrechende Kropf- und Kretinismusstudien) *und daß sie versuchten zu fliehen*

II

Und *ich wies meine Assistenten an nach einer geeigneten Versuchsperson Ausschau zu halten* (und W Il Duce) und *am 15. 4. 1938 überwies mir der Polizeipräsident von Rom ein Individuum zur Beobachtung* (und der Faschismus ist über den verwesten Leib der Göttin Freiheit hinweggestiegen) und *ich zitiere aus seinem Begleitschreiben* (und Italiener! Schwarzhemden! Legionäre!): »S. E., Ingenieur und 39 Jahre alt und aufgegriffen am Hauptbahnhof und ohne gültigen Fahrausweis und offenbar nicht im vollen Besitz seiner Geisteskräfte« (und nicht endenwollende Ovationen) und *ich wählte diesen Mann aus für meinen ersten Menschenversuch*

III

Und *ich brachte zwei Elektroden an seinen Schläfen an* (und die wichtigsten Indikationen sind Schizophrenie und Paranoia) *und ich beschloß mit 80 Volt Wechselstrom und 0,2 Sekunden anzufangen* (und Alkoholismus und Drogensucht und Depressionen und Melancholie) und *seine Muskeln wurden steif* (und die wichtigsten Nebenwirkungen sind Gedächtnisverlust und Brechreiz und Panik) und *er bäumte sich auf* (und dies ist die typische von von Braunmühl et al. so genannte Hampelmannstellung) *und er fiel zusammen aber ohne das Bewußtsein zu verlieren* (und die wichtigsten Komplikationen sind Schenkel- Arm- Kiefer- und Wirbelsäulenbrüche) *und er fing an sehr laut zu singen* (und Herzbeschwerden und innere Blutungen) und *dann wurde er still und rührte sich nicht mehr*

IV

Und *natürlich bedeutete das für mich eine starke gefühlsmäßige Belastung* (und nach Reil [1803] ist *die unschädliche Folter ein Gebot der Heilkunst*) und *ich beriet mich mit meinen Assistenten ob ich eine Pause einlegen sollte* (und nach Squire [1973] ist es *unbekannt wie lange die Amnesie anhält*) und *der Mann hörte uns zu und sagte plötzlich mit lauter und feierlicher Stimme: »Tut es nicht noch einmal. Das ist der Tod.«* (und nach Sogliano [1943] kann die Behandlung *ohne Bedenken bis zu fünfmal innerhalb von zehn Minuten* wiederholt werden) und *ich gestehe daß mir der Mut sank* (und nach Kalinowski et al. [1946] sind stets *Gurte und Fesseln bereitzuhalten für den Fall daß der Patient gemeingefährlich und gewalttätig wird*) und *ich mußte mich aufraffen um diesem abergläubischen Gefühl nicht nachzugeben* (und nach Sakel et al. [1965] *fehlt es leider bisher an einer wissenschaftlichen Begründung* für den Elektroschock) und *ich nahm mich zusammen und gab ihm noch einmal einen Stoß von 110 Volt*

V

Und seitdem klettern sie auf der geschlossenen Station in ihren Pyjamas auf die weißlackierten Eisenbetten *(und wir werden seine Pioniertat nie vergessen)* und kriegen eine Spritze verpaßt und bei Gegenwehr noch eine Spritze *(und seine Leistungen für den wissenschaftlichen Fortschritt)* und vier Wärter halten sie fest an Händen und Füßen (und *seine Schaffenslust*) und stopfen ihnen einen

Gummischlauch in den Mund und stülpen ihnen die kalten Chromplatten über die Schläfen (und *seinen unstillbaren Wissensdurst*) und in den Schlachthöfen hört man kein Brüllen und Muhen und Quieken mehr (und *seinen echten Humanismus*) und dann gibt der Chef Saft (und *an einer wissenschaftlichen Begründung* hierfür *fehlt es leider* noch) und dann sind sie weg und dann wachen sie wieder auf und dann sind sie gelöscht

Ernesto Guevara de la Serna (1928–1967)

Eine Zeitlang trugen Tausende auf dem Kopf seine kleine Mütze,
und Abertausende vor sich her von seinen Abbildungen
große Abbildungen, und riefen seinen Namen sehr laut aus.
Unwirklich scheinen jene Züge quer durch die City jetzt fast
wie das Land und die Klasse, in die er geboren war.

Fern der Schlachthöfe und der Baracken und der Bordelle
bröckelte die Villa des Vaters am Fluß. Das Geld war verdunstet,
doch der Swimming-Pool wurde gehalten. Ein scheues Kind,
allergisch, oft dem Ersticken nah. Kämpfte mit seinem Körper,
rauchte Zigarren, wurde (was immer das sein mag) ein Mann.

Unter dem Kopfkissen lag Jules Verne. Sein erster Angriff,
seine erste Flucht in die Wirklichkeit: Traurige Tropen.
Doch die Aussätzigen unter der morschen Veranda am Amazonas
verstanden nicht, was er sagte, und starben weiter. Dann erst
fand er den Feind, der ihm treu bis ans Ende blieb

und den Feind des Feindes. Wenige Siege später erschien ihm
der Neue Mensch, eine alte Idee, sehr neu. Doch die Ökonomie
hörte seinen Reden nicht zu. Es fehlten immer Spaghetti.
Auch war keine Zahnkrem mehr da, und woraus wird Zahnkrem
     gemacht?
Die Banknoten, die er unterschrieb, galten nichts.

Der Zucker klebte im Hemd. Maschinen, mit harter Währung
     bezahlt,
verrotteten an den Kais. Von Gerüchten summte La Rampa.
Kratzfüße in Moskau, neue Kredite. Das Volk stand Schlange,
war unzuverlässig, riß hungrige Witze. Überall Spitzel,
Intrigen, die er niemals begriff. Ein ewiger Ausländer.

Wollte den Russen moralisch kommen. Der Menschenfreund
schrie nach dem *Haß, der den Menschen in eine gewaltsame,
effektive, kalte Tötungsmaschine verwandeln* soll. Eigentlich
eine Mimose: am liebsten las er Gedichte. (Baudelaire
kannte er auswendig.) Ein zarter Versager, Fraß für Geheimdienste.

So floh er zu den Waffen und blieb dort, wo alles klar war
nd deutlich: Feind Feind und Verrat Verrat, im Dschungel.
Nur er selber schien ausgelöscht. *Rundlich, bartlos, die Schläfen
        grau,*
dicke Brillengläser, wie ein Vertreter, im Duffle-coat, derart
vermummt in Ñancahuazú ging er an seine letzte Arbeit.

Sprach kein Quechua, kein Guaraní. *Das Schweigen der Indios
war absolut, als kämen wir aus einer andern Welt.* Insekten,
Schlingpflanzen, Unterholz. *Die Bauern wie Steine.* Koliken,
Hustenanfälle, Ödeme. Überdosen von Cortison. Adrenalin.
Keuchend die letzte Spritze: *Ave María purísima!*

Schon *breitete sich die Legende aus wie ein Schaum. Supermen
sind wir bereits, unbesiegbar.* (Immer diese tödliche Ironie,
unbemerkt von den Genossen.) *Ein menschliches Wrack,* ein Idol.
Wir hätten ihn angestellt, annoncierten unter seinen Todfeinden
die fortschrittlichsten. Stattdessen stellten sie seine Leiche aus

mit abgeschnittenen Händen. *Ein mystisches Abenteuer,* und
eine Passion, die unwiderstehlich an das Bild Christi erinnert:
das schrieben die Anhänger. Er: *Les honneurs, ça m'emmerde.*
Es ist nicht lange her, und vergessen. Nur die Historiker
nisten sich ein wie die Motten ins Tuch seiner Uniform.

Löcher im Volkskrieg. Sonst in der Metropole spricht von ihm
nur noch eine Boutique, die seinen Namen gestohlen hat.
An der Kensington High Street glimmen die Räucherstäbchen;
neben der Ladenkasse sitzen die letzten Hippies, verdrossen,
unwirklich, wie Fossile, und fraglos, und fast unsterblich.

Der Text bricht ab, und ruhig rotten die Antworten fort.

Apokalypse. Umbrisch, etwa 1490

Er ist nicht mehr der Jüngste, er seufzt,
er holt eine große Leinwand hervor, er grübelt,
verhandelt lang und zäh mit dem Besteller,
einem geizigen Karmeliter aus den Abruzzen,
Prior oder Kapitular. Schon wird es Winter,
die Fingergelenke knacken, das Reisig
knackt im Kamin. Er seufzt, grundiert,
läßt trocknen, grundiert ein andermal,
kritzelt, ungeduldig, auf kleine Kartons
seine Figuren, schemenhaft, hebt sie mit Deckweiß.
Er zaudert, reibt Farben an, vertrödelt
mehrere Wochen. Dann, eines Tages, es ist
unterdessen Aschermittwoch geworden
oder Mariä Lichtmeß, taucht er, in aller Frühe,
den Pinsel in die gebrannte Umbra und malt:
Das wird ein dunkles Bild. Wie fängt man es an,
den Weltuntergang zu malen? Die Feuersbrünste,
die entflohenen Inseln, die Blitze, die sonderbar
allmählich einstürzenden Mauern, Zinnen und Türme:
technische Fragen, Kompositionsprobleme.
Die ganze Welt zu zerstören macht viel Arbeit.
Besonders schwer sind die Geräusche zu malen,
das Zerreißen des Vorhangs im Tempel,
die brüllenden Tiere, der Donner. Alles
soll nämlich zerreißen, zerrissen werden,
nur nicht die Leinwand. Und der Termin
steht fest: Allerspätestens Allerseelen.
Bis dahin muß, im Hintergrund, das wütende Meer
lasiert werden, tausendfach, mit grünen,
schaumigen Lichtern, durchbohrt von Masten,
lotrecht in die Tiefe schießenden Schiffen,
Wracks, während draußen, mitten im Juli,
kein Hund sich regt auf dem staubigen Platz.
Der Maler ist ganz allein in der Stadt geblieben,
verlassen von Frauen, Schülern, Gesinde.
Müde scheint er, wer hätte das gedacht,
sterbensmüde. Alles ist ocker, schattenlos,

steht starr da, hält still in einer Art
böser Ewigkeit; nur das Bild nicht. Das Bild
nimmt zu, verdunkelt sich langsam, füllt sich
mit Schatten, stahlblau, erdgrau, trübviolett,
caput mortuum; füllt sich mit Teufeln, Reitern,
Gemetzeln; bis daß der Weltuntergang
glücklich vollendet ist, und der Maler
erleichtert, für einen kurzen Augenblick;
unsinnig heiter, wie ein Kind,
als wär ihm das Leben geschenkt,
lädt er, noch für den selben Abend,
Frauen, Kinder, Freunde und Feinde
zum Wein, zu frischen Trüffeln und Bekassinen,
während draußen der erste Herbstregen rauscht.

Abendmahl. Venezianisch, 16. Jahrhundert

I

Als ich mein *Letztes Abendmahl* beendet hatte,
fünfeinhalb mal knapp dreizehn Meter,
eine Heidenarbeit, aber ganz gut bezahlt,
kamen die üblichen Fragen.
Was haben diese Ausländer zu bedeuten
mit ihren Hellebarden? Wie Ketzer
sind sie gekleidet, oder wie Deutsche.
Finden Sie es wohl schicklich,
dem Heiligen Lukas
einen Zahnstocher in die Hand zu geben?
Wer hat Sie dazu angestiftet,
Mohren, Säufer und Clowns
an den Tisch Unseres Herrn zu laden?
Was soll dieser Zwerg mit dem Papagei,
was soll der schnüffelnde Hund,
und warum blutet der Mameluck aus der Nase?
Meine Herren, sprach ich, dies alles
habe ich frei erfunden zu meinem Vergnügen.
Aber die Sieben Richter der Heiligen Inquisition
raschelten mit ihren roten Roben
und murmelten: Überzeugt uns nicht.

II

Oh, ich habe bessere Bilder gemalt;
aber jener Himmel zeigt Farben,
die ihr auf keinem Himmel findet,
der nicht von mir gemalt ist;
und es gefallen mir diese Köche
mit ihren riesigen Metzgersmessern,
diese Leute mit Diademen, mit Reiherbüschen,
pelzverbrämten, gezaddelten Hauben
und perlenbestickten Turbanen;
auch jene Vermummten gehören dazu,
die auf die entferntesten Dächer
meiner Alabaster-Paläste geklettert sind
und sich über die höchsten Brüstungen beugen.

Wonach sie Ausschau halten,
das weiß ich nicht. Aber weder euch
noch den Heiligen schenken sie einen Blick.

III
Wie oft soll ich es euch noch sagen!
Es gibt keine Kunst ohne das Vergnügen.
Das gilt auch für die endlosen Kreuzigungen,
Sintfluten und Bethlehemitischen Kindermorde,
die ihr, ich weiß nicht warum,
bei mir bestellt.
Als die Seufzer der Kritiker,
die Spitzfindigkeiten der Inquisitoren
und die Schnüffeleien der Schriftgelehrten
mir endlich zu dumm wurden,
taufte ich das *Letzte Abendmahl* um
und nannte es
Ein Dîner bei Herrn Levi.

IV
Wir werden ja sehen, wer den längeren Atem hat.
Zum Beispiel meine *Heilige Anna selbdritt.*
Kein sehr amüsantes Sujet.
Doch unter den Thron,
auf den herrlich gemusterten Marmorboden
in Sandrosa, Schwarz und Malachit,
malte ich, um das Ganze zu retten,
eine Suppenschildkröte mit rollenden Augen,
zierlichen Füßen und einem Panzer
aus halb durchsichtigem Schildpatt:
eine wunderbare Idee.
Wie ein riesiger, kunstvoll gewölbter Kamm,
topasfarben, glühte sie in der Sonne.

V
Als ich sie kriechen sah,
fielen mir meine Feinde ein.
Ich hörte das Gebrabbel der Galeristen,
das Zischeln der Zeichenlehrer
und das Rülpsen der Besserwisser.

Ich nahm meinen Pinsel zur Hand
und begrub das Geschöpf,
bevor die Schmarotzer anfangen konnten,
mir zu erklären, was es bedeute,
unter sorgfältig gemalten Fliesen
aus schwarzem, grünem und rosa Marmor.
Die *Heilige Anna* ist nicht mein berühmtestes,
aber vielleicht mein bestes Bild.
Keiner außer mir weiß, warum.

Die Ruhe auf der Flucht. Flämisch, 1521

Ich sehe das spielende Kind im Korn,
das den Bären nicht sieht.
Der Bär umarmt oder schlägt einen Bauern.
Den Bauern sieht er,
aber er sieht das Messer nicht,
das in seinem Rücken steckt;
nämlich im Rücken des Bären.

Auf dem Hügel drüben liegen die Überreste
eines Geräderten; doch der Spielmann,
der vorübergeht, weiß nichts davon.
Auch bemerken die beiden Heere,
die auf der hell erleuchteten Ebene
gegeneinander vorrücken –
ihr Lanzen funkeln und blenden mich –,
den kreisenden Sperber nicht,
der sie ins kalte Auge faßt.

Ich sehe deutlich die Schimmelfäden,
die sich durch das Dachgebälk ziehen,
im Vordergrund, und weiter hinten
den vorbeisprengenden Kurier.
Aus einem Hohlweg muß er aufgetaucht sein.
Niemals werde ich wissen,
wie dieser Hohlweg von innen aussieht;
aber ich denke mir,
daß er feucht ist, schattig und feucht.

Die Schwäne auf dem Teich in der Mitte des Bildes
nehmen keine Notiz von mir.
Ich betrachte den Tempel am Abgrund,
den schwarzen Elefanten – seltsam,
ein schwarzer Elefant auf freiem Feld! –
und die Statuen, deren weiße Augen
dem Vogelfänger im Wald zusehen,
dem Fährmann, der Feuersbrunst.
Wie lautlos das alles ist!

Auf sehr entlegenen, sehr hohen Türmen
mit fremdartigen Schießscharten
seh ich die Eulen zwinkern. Ja,
dies alles sehe ich wohl,
doch worauf es ankommt, das weiß ich nicht.
Wie sollte ich es erraten,
da alles das, was ich sehe,
so deutlich ist, so notwendig
und so undurchdringlich?

Nichts ahnend, in meine Geschäfte versunken
wie in die ihrigen jene Stadt,
oder wie weit in der Ferne
jene noch viel blaueren Städte
verschwimmend in andern Erscheinungen,
andern Wolken, Heeren und Ungeheuern,
lebe ich weiter. Ich gehe fort.
Ich habe dies alles gesehen, nur
das Messer, das mir im Rücken steckt, nicht.

Innere Sicherheit

Ich versuche den Deckel zu heben,
logischerweise, den Deckel,
der meine Kiste verschließt.
Es ist ja kein Sarg, das nicht,
es ist nur eine Packung, eine Kabine,
mit einem Wort, eine Kiste.

Ihr wißt doch genau, was ich meine,
wenn ich *Kiste* sage,
stellt euch nicht dumm,
ich meine ja nur
eine ganz gewöhnliche Kiste,
auch nicht dunkler als eure.

Also ich möchte raus, ich klopfe,
ich hämmere gegen den Deckel,
ich rufe *Mehr Licht,* ich ringe
nach Atem, logischerweise,
ich donnere gegen die Luke. Gut.

Aber sicherheitshalber ist sie zu,
meine Kiste, sie geht nicht auf,
mein Schuhkarton hat einen Deckel,
der Deckel aber ist ziemlich schwer,
aus Sicherheitsgründen,
denn es handelt sich hier
um einen Behälter, um eine Bundeslade,
um einen Safe. Ich schaffe es nicht.

Die Befreiung kann, logischerweise,
nur mit vereinter Kraft gelingen.
Aber sicherheitshalber bin ich
in meiner Kiste mit mir allein,
in meiner eigenen Kiste.

Jedem das Seine! Um mit vereinter Kraft
zu entweichen aus der eigenen Kiste,
müßte ich, logischerweise, bereits
aus der eigenen Kiste
entwichen sein, und das gilt,
logischerweise, für alle.

Also stemme ich mich gegen den Deckel
mit meinem eigenen Genick. Jetzt!
Einen Spalt breit! Ah! Draußen,
herrlich, die weite Landschaft,
bedeckt mit Büchsen, Kanistern,
kurzum, mit Kisten, dahinter
die eifrig rollenden grünen Fluten,
durchpflügt von seetüchtigen Koffern,
die unerhört hohen Wolken darüber,
und überall, überall Luft!

Laßt mich raus, rufe ich also,
erlahmend, wider besseres Wissen,
mit belegter Zunge, von Schweiß bedeckt.
Ein Kreuz schlagen, kommt nicht in Frage.
Winken, geht nicht, keine Hand frei.
Die Faust ballen, ausgeschlossen.

Also, *Ich drücke,* rufe ich,
mein Bedauern aus, wehe mir!
mein eignes Bedauern,
während mit dumpfem *Pflupp*
der Deckel sich wieder,
aus Sicherheitsgründen,
über mir schließt.

Verlustanzeige

Die Haare verlieren, die Nerven,
versteht ihr, die kostbare Zeit,
auf verlorenem Posten an Höhe
verlieren, an Glanz, ich bedaure,
macht nichts, nach Punkten,
unterbrecht mich nicht, Blut
verlieren, Vater und Mutter,
das in Heidelberg verlorene Herz,
ohne mit der Wimper zu zucken,
noch einmal verlieren, den Reiz
der Neuheit, Schwamm drüber,
die bürgerlichen Ehrenrechte, aha,
den Kopf, in Gottesnamen, den Kopf,
wenn es unbedingt sein muß,
das verlorene Paradies, meinetwegen,
den Arbeitsplatz, den Verlorenen Sohn,
das Gesicht, auch das noch,
einen Backenzahn, zwei Weltkriege,
drei Kilo Übergewicht verlieren,
verlieren, immer nur verlieren, auch
die längst verlorenen Illusionen,
na wenn schon, kein Wort
über die verlorene Liebesmüh,
aber woher denn, das Augenlicht
aus den Augen, die Unschuld
verlieren, schade, den Hausschlüssel,
schade, sich, gedankenverloren,
in der Menge verlieren,
unterbrecht mich nicht,
den Verstand, den letzten Heller,
sei's drum, gleich bin ich fertig,
die Fassung, Hopfen und Malz,
alles auf einmal verlieren,
wehe, sogar den Faden,
den Führerschein, und die Lust.

Der Aufschub

Bei dem berühmten Ausbruch des Helgafell, eines Vulkans
auf der Insel Heimaey, live übertragen von einem Dutzend
hustender Fernsehteams, sah ich, unter dem Schwefelregen,
einen älteren Mann in Hosenträgern, der, achselzuckend
und ohne sich weiter zu kümmern um Sturmwind, Hitze,
Kameraleute, Asche, Zuschauer (unter ihnen auch ich
vor dem bläulichen Bildschirm auf meinem Teppich),
mit einem Gartenschlauch, dünn aber deutlich sichtbar,
gegen die Lava vorging, bis endlich Nachbarn, Soldaten,
Schulkinder, ja sogar Feuerwehrleute mit Schläuchen,
immer mehr Schläuchen, gegen die heiße, unaufhaltsam
vorrückende Lava eine Mauer aus naß erstarrter
kalter Lava höher und höher türmten, und so,
zwar aschgrau und nicht für immer, doch einstweilen,
den Untergang des Abendlandes aufschoben, dergestalt,
daß, falls sie nicht gestorben sind, auf Heimaey,
einer Insel unweit von Island, heute noch diese Leute
in ihren kleinen bunten Holzhäusern morgens erwachen
und nachmittags, unbeachtet von Kameras, den Salat
in ihren Gärten, lavagedüngt und riesenköpfig,
sprengen, vorläufig nur, natürlich, doch ohne Panik.

Schwacher Trost

Der Kampf aller gegen alle soll,
wie aus Kreisen verlautet,
die dem Innenministerium nahestehn,
demnächst verstaatlicht werden,
bis auf den letzten Blutfleck.
Schöne Grüße von Hobbes.

Bürgerkrieg mit ungleichen Waffen:
was dem einen die Steuererklärung,
ist dem andern die Fahrradkette.
Die Giftmischer und die Brandstifter
werden eine Gewerkschaft gründen müssen
zum Schutz ihrer Arbeitsplätze.

Aufgeschlossen bis dort hinaus
geht es im Strafvollzug zu.
Abwaschbar, in schwarzes Plastik gebunden,
liegt Kropotkin zum Studium aus:
*System der gegenseitigen Hilfe
in der Natur*. Ein schwacher Trost.

Wir haben mit Bedauern vernommen,
daß es keine Gerechtigkeit gibt,
und mit noch größerem Bedauern,
daß es, wie die bewußten Kreise
händereibend versichern, auch nichts
dergleichen je geben kann, soll und wird.

Strittig ist nach wie vor, wer oder was
daran schuld sei. Ist es die Erbsünde
oder die Genetik? die Säuglingspflege?
der Mangel an Herzensbildung?
die falsche Diät? der Gottseibeiuns?
die Männerherrschaft? das Kapital?

Daß wir es leider nicht lassen können,
einander zu notzüchtigen,
an die nächstbeste Kreuzung zu nageln
und die Überreste zu essen, schön wär es,
dafür eine Erklärung zu finden,
Balsam für die Vernunft.

Zwar die tägliche Scheußlichkeit stört,
doch sie wundert uns wenig.
Was aber rätselhaft anmutet, ist
die stille Handreichung,
die grundlose Gutmütigkeit,
sowie die englische Sanftmut.

Also höchste Zeit, mit feuriger Zunge
den Kellner zu loben, der stundenlang
der Tirade des Impotenten lauscht;
den Barmherzigkeit übenden Knäckebrot-
Vertreter, der kurz vor dem tödlichen Schlag
den Zahlungsbefehl sinken läßt;

wie auch die Betschwester, die,
unverhofft, den atemlos an ihre Tür
hämmernden Deserteur versteckt;
und den Entführer, der sein wirres Werk
mit einem matten, zufriedenen Lächeln
unversehens aufgibt, zu Tode erschöpft;

und wir legen die Zeitung weg
und freuen uns, achselzuckend, so,
wie wenn der Schmachtfetzen glücklich aus ist,
wenn es hell wird im Kino, und draußen
hat es zu regnen aufgehört, dann blüht uns
endlich der erste Zug aus der Zigarette.

Weitere Gründe dafür, daß die Dichter lügen

Weil der Augenblick,
in dem das Wort *glücklich*
ausgesprochen wird,
niemals der glückliche Augenblick ist.
Weil der Verdurstende seinen Durst
nicht über die Lippen bringt.
Weil im Munde der Arbeiterklasse
das Wort *Arbeiterklasse* nicht vorkommt.
Weil, wer verzweifelt,
nicht Lust hat, zu sagen:
»Ich bin ein Verzweifelnder.«
Weil Orgasmus und *Orgasmus*
nicht miteinander vereinbar sind.
Weil der Sterbende, statt zu behaupten:
»Ich sterbe jetzt«,
nur ein mattes Geräusch vernehmen läßt,
das wir nicht verstehen.
Weil es die Lebenden sind,
die den Toten in den Ohren liegen
mit ihren Schreckensnachrichten.
Weil die Wörter zu spät kommen,
oder zu früh.
Weil es also ein anderer ist,
immer ein anderer,
der da redet,
und weil der,
von dem da die Rede ist,
schweigt.

Erkenntnistheoretisches Modell

Hier hast du
eine große Schachtel
mit der Aufschrift
Schachtel.
Wenn du sie öffnest,
findest du darin
eine Schachtel
mit der Aufschrift
Schachtel
aus einer Schachtel
mit der Aufschrift
Schachtel.
Wenn du sie öffnest –
ich meine jetzt
diese Schachtel,
nicht jene –,
findest du darin
eine Schachtel
mit der Aufschrift
Und so weiter,
und wenn du
so weiter machst,
findest du
nach unendlichen Mühen
eine unendlich kleine
Schachtel
mit einer Aufschrift
so winzig,
daß sie dir gleichsam
vor den Augen
verdunstet.
Es ist eine Schachtel,
die nur in deiner Einbildung
existiert.
Eine vollkommen leere
Schachtel.

Erkennungsdienstliche Behandlung

Das ist nicht Dante.
Das ist eine Photographie von Dante.
Das ist ein Film, in dem ein Schauspieler auftritt, der vorgibt, Dante zu sein.
Das ist ein Film, in dem Dante Dante spielt.
Das ist ein Mann, der von Dante träumt.
Das ist ein Mann, der Dante heißt, aber nicht Dante ist.
Das ist ein Mann, der Dante nachäfft.
Das ist ein Mann, der sich für Dante ausgibt.
Das ist ein Mann, der träumt, er sei Dante.
Das ist ein Mann, der Dante zum Verwechseln ähnlich sieht.
Das ist eine Wachsfigur von Dante.
Das ist ein Wechselbalg, ein Zwilling, ein Doppelgänger.
Das ist ein Mann, der sich für Dante hält.
Das ist ein Mann, den alle, außer Dante, für Dante halten.
Das ist ein Mann, den alle für Dante halten, nur er selber glaubt nicht daran.
Das ist ein Mann, den niemand für Dante hält außer Dante.
Das ist Dante.

Fachschaft Philosophie

Daß wir gescheit sind, ist wahr. Aber weit entfernt,
die Welt zu verändern, ziehen wir auf dem Podium
Kaninchen aus unserm Gehirn, Kaninchen und Tauben,
Schwärme von schneeweißen Tauben, die unverwandt
auf die Bücher kacken. Daß Vernunft Vernunft ist
und nicht Vernunft, um das zu kapieren,
braucht man nicht Hegel zu sein, dazu genügt
ein Blick in den Taschenspiegel. Er zeigt uns
in wallenden blauen Mäntelchen, bestickt
mit silbernen Sternen, und auf dem Kopf
einen spitzen Hut. Im Keller versammeln wir uns,
wo die Karteileichen liegen, zum Hegelkongreß,
packen unsre Kristallkugeln und Horoskope aus
und machen uns an die Arbeit. Gutachten
schwenken wir, Pendel, Forschungsberichte,
wir lassen die Tische rücken, wir fragen:
Wie wirklich ist das, was wirklich ist? Schadenfroh
lächelt Hegel. Wir malen ihm einen Schnurrbart an.
Schon sieht er wie Stalin aus. Der Kongreß
tanzt. Weit und breit kein Vulkan. Unauffällig
stehen die Posten Posten. In aller Ruhe wirft,
Knüppel aus dem Sack, unser psychischer Apparat
treffende Sätze aus, und wir sagen uns:
In jedem brutalen Bullen steckt doch
ein verständnisvoller Helfer und Freund,
in dem ein brutaler Bulle steckt. Simsalabim!
Wie ein enormes Taschentuch entfalten wir
die Theorie, während vor dem verbunkerten Seminar
bescheiden die Herren im Trenchcoat warten.
Sie rauchen, machen kaum Gebrauch von der Dienstwaffe,
und bewachen die Planstellen, die Papierblumen
und den schneeweiß alles bedeckenden Taubendreck.

Andenken

Also was die siebziger Jahre betrifft,
kann ich mich kurz fassen.
Die Auskunft war immer besetzt.
Die wundersame Brotvermehrung
beschränkte sich auf Düsseldorf und Umgebung.
Die furchtbare Nachricht lief über den Ticker,
wurde zur Kenntnis genommen und archiviert.

Widerstandslos, im großen und ganzen,
haben sie sich selber verschluckt,
die siebziger Jahre,
ohne Gewähr für Nachgeborene,
Türken und Arbeitslose.
Daß irgendwer ihrer mit Nachsicht gedächte,
wäre zuviel verlangt.

Bericht aus Bonn

Im Presseamt immer noch Licht. Der Hausierer,
der Dunkelheit feilhält, immer mehr Dunkelheit,
wird für seinen Auftritt geschminkt.
»Wir gehen einem neuen Mittelalter entgegen.«
Das glaube ich kaum. Allerdings,
wie viele Aschbecher gibt es allein in Bad Godesberg.
Wenn ich an die Türkinnen denke,
die sie jeden Abend ausleeren müssen,
Asche zu Asche, dann spüre ich
in der Gegend des Zwerchfells so etwas
wie meine unsterbliche Seele.
Alle diese Häuser gehören Hausbesitzern,
wie im Mittelalter, die Macht ist dumpf,
die Freude auch. Nur Wallfahrer
sind kaum unterwegs, Krüppel,
die um die Altäre kriechen, sind selten.
Nirgends werden Galgen errichtet. Ampeln,
Fußgängerzonen sind da, und statt der Pestkranken
und der Flagellanten geht dann und wann
mit einem wuschligen braunen Spaniel an der Leine
eine ältere Geisel im Pelzmantel
an der Amerikanischen Botschaft vorbei.

Der Angestellte

Nie hat er jemanden umgebracht. Nein,
er wirft aus Versehen Flaschen um.
Er möchte gern, schwitzt, verliert
seinen liebsten Schlüssel. Immerzu
erkältet er sich. Er weiß, daß er muß.
Er mutet sich Mut zu, er gähnt,
er tupft seinen Gram auf den Putz.
Er denkt, lieber nicht. Eingezwängt
in zwei Schuhe, beteuert er bleich
das Gegenteil. Ja, er meldet sich an
und ab. Das Gegenteil sagt er von dem,
was er sagen wollte. Eigentlich, sagt er,
eigentlich nicht. Der Anzug ist ihm zu eng,
zu weit. Seine Stelle schmerzt. Nein,
seine eigene Handschrift kann er schon längst
nicht mehr lesen. Er hat sich scheiden lassen,
vergebens. Kein Mensch ruft ihn an. Überall
juckt es ihn. Sein Kugelschreiber läuft aus,
beim besten Willen. Er ist öfters vorhanden,
in jedem Zimmer einmal, immer allein.
Er schneidet sich beim Rasieren. Ja,
er paßt nämlich immer auf, sonst
kann er nicht schlafen. Er schläft.
Alles meckert, alles was recht ist,
alles lacht über ihn. Er merkt nicht,
was los ist. Das merkt er. Sein Kopfweh
ist unpolitisch. Er stellt sich an,
er stottert schon wieder, verschluckt sich.
Was er vorhin hat sagen wollen, das hat er
vorhin vergessen. Er hat vergessen,
sich umzubringen. Beim besten Willen.
Heimlich lebt er. Nein, er darf nicht,
aber er müßte. Er hat keinen Krebs,
aber das weiß er nicht. Sein Hut schwitzt.
Es ist ihm noch nie so gut gegangen
wie jetzt. Eigentlich möchte er nicht,
aber er muß. Er weint beim Friseur. Ja,

er ist anstellig, er entschuldigt sich.
Ja, er schreibt, ja, er kratzt sich,
ja, er müßte, aber er darf nicht,
nein, seinen Jammer hat niemand bemerkt.

Die Dreiunddreißigjährige

Sie hat sich das alles ganz anders vorgestellt.
Immer diese verrosteten Volkswagen.
Einmal hätte sie fast einen Bäcker geheiratet.
Erst hat sie Hesse gelesen, dann Handke.
Jetzt löst sie öfter Silbenrätsel im Bett.
Von Männern läßt sie sich nichts gefallen.
Jahrelang war sie Trotzkistin, aber auf ihre Art.
Sie hat nie eine Brotmarke in der Hand gehabt.
Wenn sie an Kambodscha denkt, wird ihr ganz schlecht.
Ihr letzter Freund, der Professor, wollte immer verhaut werden.
Grünliche Batik-Kleider, die ihr zu weit sind.
Blattläuse auf der Zimmerlinde.
Eigentlich wollte sie malen, oder auswandern.
Ihre Dissertation, *Klassenkämpfe in Ulm, 1500
bis 1512, und ihre Spuren im Volkslied:*
Stipendien, Anfänge und ein Koffer voller Notizen.
Manchmal schickt ihr die Großmutter Geld.
Zaghafte Tänze im Badezimmer, kleine Grimassen,
stundenlang Gurkenmilch vor dem Spiegel.
Sie sagt: Ich werde schon nicht verhungern.
Wenn sie weint, sieht sie aus wie neunzehn.

Die Scheidung

Erst war es nur ein unmerkliches Beben der Haut –
»Wie du meinst« –, dort wo das Fleisch am dunkelsten ist.
»Was hast du?« – Nichts. Milchige Träume
von Umarmungen, aber am anderen Morgen
sieht der andere anders aus, sonderbar knochig.
Messerscharfe Mißverständnisse. »Damals in Rom –«
Das habe ich nie gesagt. – Pause. Rasendes Herzklopfen,
eine Art Haß, sonderbar. – »Darum geht es nicht.«
Wiederholungen. Strahlend hell die Gewißheit:
Von nun an ist alles falsch. Geruchlos und scharf,
wie ein Paßfoto, diese unbekannte Person
mit dem Teeglas am Tisch, mit starren Augen.
Es hat keinen Zweck keinen Zweck keinen Zweck:
Litanei im Kopf, ein Anflug von Übelkeit.
Ende der Vorwürfe. Langsam füllt sich
das ganze Zimmer bis zur Decke mit Schuld.
Die klagende Stimme ist fremd, nur die Schuhe,
die krachend zu Boden fallen, die Schuhe nicht.
Das nächste Mal, in einem leeren Restaurant,
Zeitlupe, Brotbrösel, wird über Geld gesprochen,
lachend. Der Nachtisch schmeckt nach Metall.
Zwei Unberührbare. Schrille Vernunft.
»Alles halb so schlimm.« Aber nachts
die Rachsucht, der stumme Kampf, anonym,
wie zwei knochige Advokaten, zwei große Krebse
im Wasser. Dann die Erschöpfung. Langsam
blättert der Schorf ab. Ein neues Tabakgeschäft,
eine neue Adresse. Parias, schrecklich erleichtert.
Blasser werdende Schatten. Dies sind die Akten.
Dies ist der Schlüsselbund. Dies ist die Narbe.

Das Falsche

Ein Freund von mir, Ost-Berlin, Leipziger Straße,
Deutsche Akademie, hat der Forschung unlängst
ein vollkommen neues Feld eröffnet:
die Fehlerlinguistik. Ja,
da hätte man viel zu tun.

Als Laie kann ich mir kein Urteil erlauben,
doch ich habe den Eindruck,
die Fehler vermehren sich:
Weiße Mäuse, Albinos mit roten Augen,
die übereinander klettern,
über Sessel und Betten,
und immer mehr weiße Mäuse werfen.

Gespräche am Bankschalter,
Ansichten über die Viererbande,
Richtlinien für die Zukunft des Menschengeschlechts.
Falsches Bewußtsein, sagen die Philosophen.
Wenn es nur das wäre.

Bremsen oder beschleunigen,
Hosen mit oder ohne Aufschlag,
deine Moral oder meine.
Wer sich im Recht wähnt,
ist schon gerichtet.

Sich freischaufeln aus einem Berg
von immer mehr rostigen Schaufeln,
mit bloßen Händen – ich fürchte,
das hat keinen Zweck. Alles verkehrt,
vermutlich auch dieser Satz.

Wenn man den eigenen Worten
eine Zeitlang zuhört,
wie sie dröhnen im eigenen Kopf –
man möchte die Augen zudrücken
wie ein kleines Kind,
sich die Ohren zuhalten
und am liebsten gar nichts mehr sagen.
Aber das wäre falsch.

Kurze Geschichte der Bourgeoisie

Dies war der Augenblick, da wir,
ohne es zu bemerken, fünf Minuten lang
unermeßlich reich waren, großzügig
und elektrisch, gekühlt im Juli,
oder für den Fall daß es November war,
loderte das eingeflogene finnische Holz
in den Renaissancekaminen. Komisch,
alles war da, flog sich ein,
gewissermaßen von selber. Elegant
waren wir, niemand konnte uns leiden.
Wir warfen um uns mit Solokonzerten,
Chips, Orchideen in Cellophan. Wolken,
die Ich sagten. Einmalig!

Überallhin Linienflüge. Selbst unsre Seufzer
gingen auf Scheckkarte. Wie die Rohrspatzen
schimpften wir durcheinander. Jedermann
hatte sein eigenes Unglück unter dem Sitz,
griffbereit. Eigentlich schade drum.
Es war so praktisch. Das Wasser
floß aus den Wasserhähnen wie nichts.
Wißt ihr noch? Einfach betäubt
von unsern winzigen Gefühlen,
aßen wir wenig. Hätten wir nur geahnt,
daß das alles vorbei sein würde
in fünf Minuten, das Roastbeef Wellington
hätte uns anders, ganz anders geschmeckt.

Finnischer Tango

Was gestern abend war ist und ist nicht
Das kleine Boot das sich entfernt
und das kleine Boot das sich nähert
Das Haar das ganz nah war ist fremdes Haar
Das ist leicht gesagt   Das ist immer so
Der graue See ist doch der graue See
Das frische Brot von gestern abend ist hart
Niemand tanzt Niemand flüstert Niemand weint
Der Rauch ist verschwunden und nicht verschwunden
Der graue See ist jetzt blau   Jemand ruft
Jemand lacht   Jemand ist fort
Es ist ganz hell   Es war halb dunkel
Das kleine Boot kehrt nicht immer zurück
Es ist dasselbe und nicht dasselbe
Niemand ist da   Der Felsen ist Felsen
Der Felsen hört auf Felsen zu sein
Der Felsen wird wieder zum Felsen
Das ist immer so   Es verschwindet
nichts und nichts bleibt   Was da war
ist und ist nicht und ist   Das
versteht niemand   Was gestern abend war
Das ist leicht gesagt   Wie hell
der Sommer hier ist und wie kurz

Früher

für Günter

Ach ja, der Geist! Früher war immer
von ihm die Rede. Ich frage mich,
wo er geblieben ist, der Geist.
Auch die Kleinbahn
bimmelt schon lange nicht mehr.
Der arme Mann ist fort,
dem die Mutter Kleingeld gab,
eingewickelt in ein Stück Zeitung,
und einen Teller Suppe.
Der Volksempfänger ist fort,
die Hosenklammer. Wie leicht
man das alles verschmerzen kann!
So leicht wie das Wort *verschmerzen*.

In der Zeit des Faschismus
wußte ich nicht, daß ich
in der Zeit des Faschismus lebte.
Es wimmelte von Klavierlehrern.
Wo sind sie geblieben?
Dreipfennigstücke liefen um
und verschwanden. Verlegen
verbarg sich das Wort *Nostalgie*
im Lexikon: »Mitterwurzer bis Ohmgeld«.
Es wurde Fraktur geredet.
Dienstboten gingen ein
durch die Dienstboteneingänge.

Zahllose Arier waren vorhanden,
die um die Ecke bogen
wie Droschken. Sie dachten wohl,
sie würden gebraucht.
Ganz ohne Plastiktüten
überquerten ältere Leute
quälend langsam die nassen
gähnenden Adolf-Hitler-Plätze.

Mädchen kamen auf Schritt und Tritt,
die Strapse hatten,
Strapse und Leibchen.
Unanständige Wörter gab es.
Tonfilme tönten.

Das alles ist immer kleiner
und kleiner geworden,
unmerklich wie die Kernseife,
oder schmerzlos und über Nacht,
wie ein Milchzahn, verschwunden.
Zum Beispiel das Deutsche Reich.
Die Vergangenheit, drückend
und öde, ist unvorstellbar
leicht entbehrlich. Heute noch
weiß ich nicht genau,
was das ist: Nostalgie.

Eine Alterserscheinung vielleicht,
oder etwas Ansteckendes.
Filzläuse, Filzläuse,
wo seid ihr geblieben?
Packt doch die alten Fotos ein.
Ich verlasse mich lieber
auf die Vergänglichkeit.
Sie läßt keine Rührung
aufkommen, ist beharrlich
und macht vor nichts halt.

Automat

Er zieht Zigaretten
für ein paar Mark Zigaretten

Er zieht den Krebs
er zieht die Apartheid
er zieht ein paar entfernte Massaker

Er zieht und zieht
doch indem er zieht
verschwindet alles was er zieht

Auch die Zigaretten verschwinden

Er blickt den Automaten an
Er sieht sich selber
Für einen Augenblick
sieht er aus wie ein Mensch

Dann verschwindet er wieder
Mit einem Klacks
fallen die Zigaretten

Er ist verschwunden
Es war nur ein Augenblick
Es war eine Art von Glück

Er ist verschwunden
Unter dem was er gezogen hat
liegt er begraben

Nicht Zutreffendes streichen

Was deine Stimme so flach macht
so dünn und so blechern
das ist die Angst
etwas Falsches zu sagen

oder immer dasselbe
oder das zu sagen was alle sagen
oder etwas Unwichtiges
oder Wehrloses
oder etwas das mißverstanden werden könnte
oder den falschen Leuten gefiele
oder etwas Dummes
oder etwas schon Dagewesenes
etwas Altes

Hast du es denn nicht satt
aus lauter Angst
aus lauter Angst vor der Angst
etwas Falsches zu sagen

immer das Falsche zu sagen?

Gemeinschaftskunde

Heute nehmen wir den Besiegten durch.
In seinem zähen Auswurf kriecht der Besiegte,
mit seinem Totschläger, seiner Übelkeit,
über das salzige Pflaster. Weit hinten
lauert sein letzter Freund. Seht ihr,
wie unauffällig der Besiegte sich
seinen mageren Gaumen leckt! Er ißt
natürlich, er schweigt natürlich,
auf deutsch. Arbeitslos atmet er.
Auch seine Haut hat gelitten, das
sieht man doch, unter dem alten Übel.
Sie altert normalerweise, ohne Geld.
Auch die Rache ist löchrig geworden,
das weiß man, sie heizt nicht. Nein,
natürlich nicht. Aber er denkt sie,
fortwährend, bis auf die Haut. Blut
riecht er, auf deutsch. Der Besiegte
ist lehrreich, wir nehmen ihn durch.
Er bewegt sich noch, seht ihr,
er schnauft, er wehrt sich, er hustet.
Jetzt taumelt er, jetzt schlägt der Besiegte
den letzten Freund in die Flucht.
Er bewegt sich. Er ist noch nicht besiegt.

Die Kleider

Da liegen sie, still und katzenhaft
in der Sonne, nachmittags,
deine Kleider, ausgebeult,
traumlos, wie ein Zufall.
Sie riechen nach dir, schwach,
sehen dir beinah ähnlich.
Deinen Schmutz überliefern sie,
deine schlechten Gewohnheiten,
die Spur deiner Ellenbogen.
Sie haben Zeit, atmen nicht,
sind übrig, schlaff, voller Knöpfe,
Eigenschaften und Flecken.
In der Hand eines Polizisten,
einer Schneiderin, eines Archäologen
gäben sie ihre Nähte preis,
ihre nichtigen Geheimnisse.
Aber wo du bist, ob du leidest,
was du mir immer hast sagen wollen
und nie gesagt hast,
ob du wiederkommst, ob das,
was geschah, aus Liebe geschah
oder aus Not oder Vergeßlichkeit,
und warum dies alles so,
wie es gekommen ist,
gekommen ist,
als es ums nackte Leben ging,
ob du tot bist, oder ob
du dir nur die Haare wäschst,
das sagen sie nicht.

Ein Traum

Ich bin auf der Flucht. Ich habe meine Schuhe verloren.
Kirschbäume blühen hinter einem verlassenen Haus.
Der Zaun ist zerbrochen. Meine Füße sind staubig, wund.
Ich sitze im Gras, schlafe ein. Durch das offene Fenster
blicke ich in ein Zimmer, das weiß und kühl ist. Im Traum
sehe ich einen alten Mann barfuß vor einer Leinwand stehen.
Er kehrt mir den Rücken zu. Leicht gebückt
tänzelt er in der Morgensonne und setzt
mit winzigen Strichen rasch ein paar Schuhe hin,
zwinkernd. Wie leicht das geht! Der Geruch
der Farbe ist stechend und fett, und im schrägen Licht
funkelt der nasse Pinsel, jedes einzelne Haar.
Die Zeit vergeht. Weich und rehbraun malt er
die beiden Stiefelchen nebeneinander, etwas versetzt,
in das weiche Gras. Ich rieche das Leder. Die Schlaufen,
die Zungen glänzen matt, ich kann die Haken zählen,
die eisernen Ösen. Außer im Kopf des Malers
und auf seinem Bild sind keine Schuhe da.
Von der Straße her höre ich Leute murmeln,
Hundegebell, Lärm. War das nicht ein Schuß?
Warum tust du das, rufe ich im Traum, was du tust?
Hast du kein Leder? – Er rührt sich nicht. – Ja,
sie sind schön, aber was heißt schön? Bekommst du
Geld dafür? – Ich glaube, er lacht. – Außerdem
sind sie alt und abgetragen. – Er stellt sich taub,
wirft einen Blick auf das Bild, zuckt die Achseln
und geht. Die Stiefelchen stehen warm,
wie zwei schlafende Hasen, im Gras.

Kein Anschluß unter dieser Nummer

Aber jetzt, da sie erwacht ist, weiß sie nicht mehr,
wie sie in dieses Zimmer geraten ist. Aber die Treppe,
denkt sie, war baufällig und verwinkelt.
Überall riecht es nach Flieder. Aber sie kennt
diese weißen Vorhänge, die sich bauschen, bauschen.
Derselbe Nachtfalter sitzt auf dem verschlissenen Sessel.
Er zittert, seine Flügel schimmern, mehlig und weich.
Biochemie. Sie hat Biochemie studiert. Aber wo
ist der Lichtschalter? Wo ist ihr Kugelschreiber
geblieben, die alte Tasche, der Autoschlüssel?
Das ist doch Wahnsinn. Sie horcht. Sie reißt
das Fenster auf. Sie ist nackt, sie schaudert,
zuckt, dehnt ihre kühlen Zehen. Sie denkt:
Aber dieser Nachtfalter, dieses vage Verlangen,
die weißen Kerzen der Kastanien über dem Zaun –
das alles ist unerklärlich. Kein Güterzug klirrt
und rumpelt vorbei, nicht einmal eine Uhr
tickt hier. Aber ohne Geschichte, denkt sie,
ohne Zeitungen, Präparate, bin ich verloren.
Zum Verrücktwerden, daß das alles stirbt
und wiederkehrt: die nackte Haut, das Mondlicht,
der Falter mit seinen weißen Fühlern, die suchen,
suchen, und der Geruch des Flieders in diesem hohen Zimmer.
Aber alles ist da, genau wie vor hundert Jahren.

Die Parasiten

Man fragt sich, was das für Leute sind,
die sich, die einander bekannt vorkommen,
hier, an diesem langen Tisch, Bekannte,
mit einem Wort, und streng genommen
fragt man sich selber, ob einer hier ist,
der nötig wäre. Man fragt. Niemand weiß es.
Nur ein Beamter auf Lebenszeit, der links
und lustlos stochert in gelblichen Theorien
über den Mehrwert, gibt patzig Auskunft.

Alles daneben. Oh, man gibt gerne zu,
Diebe, Pfaffen und Kurtisanen, die
hat es immer gegeben; auch die allmählich
verfaulenden Medizinmänner und Auguren,
die locker am Tischende quasselnd essen,
auch dort im Winkel die wüsten Träumer
auf ihren Matratzen. Der da hinten z.B.,
ein Bildhauer, der Brancusi zu sein glaubt,
man glaubt es kaum, ist möglicherweise Brancusi.

Aber all diese Heiratsschwindler und Boxer,
Könige, Punks, Jongleure, ja selbst die Mörder
und Makler sind längst in der Minderheit.
Man sieht, wie der Staats-Scheißkerl wächst,
wie schwarz seine Mitesser sprießen,
seines Todesarbeiter, Hundeführer
und Deklamatoren. Am frühen Morgen,
wenn die Regale sich füllen im Supermarkt,
sind keinerlei Leichen zu sehen.

Überall trifft man Bekannte, wundert sich.
Strauchelnde sind es, ineinander verwickelt.
Notwendig, überflüssig: ja, wer das
unterscheiden könnte! Produktiv, unproduktiv:
nicht mehr so einfach wie früher.
Und selber fragt man sich oft, ob hier
noch einer nötig ist, irgendeiner, z.B.
der Parasit, der schräg gegenüber
groß an die Wand malt: Fort mit den Parasiten!

Der Fliegende Robert

Eskapismus, ruft ihr mir zu,
vorwurfsvoll.
Was denn sonst, antworte ich,
bei diesem Sauwetter! –,
spanne den Regenschirm auf
und erhebe mich in die Lüfte.
Von euch aus gesehen,
werde ich immer kleiner und kleiner,
bis ich verschwunden bin.
Ich hinterlasse nichts weiter
als eine Legende,
mit der ihr Neidhammel,
wenn es draußen stürmt,
euern Kindern in den Ohren liegt,
damit sie euch nicht davonfliegen.

Die Furie

Sie sieht zu, wie es mehr wird,
verschwenderisch mehr,
einfach alles, wir auch;
wie es wächst, über den Kopf,
die Arbeit auch; wie der Mehrwert
mehr wird, der Hunger auch;
sieht einfach zu, mit ihrem Gesicht,
das nichts sieht; nichtssagend,
kein Sterbenswort;
denkt sich ihr Teil;
Hoffnung, denkt sie,
unendlich viel Hoffnung,
nur nicht für euch;
ihr, die nicht auf uns hört,
gehört alles; und sie erscheint
nicht fürchterlich; sie erscheint nicht;
ausdruckslos; sie ist gekommen;
ist immer schon da; vor uns
denkt sie; bleibt;
ohne die Hand auszustrecken
nach dem oder jenem,
fällt ihr, was zunächst unmerklich,
dann schnell, rasend schnell fällt, zu;
sie allein bleibt, ruhig,
die Furie des Verschwindens.

Copyrightangaben

148

Erkenntnistheoretisches Modell
Erkennungsdienstliche Behandlung
Fachschaft Philosophie
aus: Hans Magnus Enzensberger, ›Der Untergang der Titanic‹. Eine
Komödie. © Suhrkamp Verlag 1978

Andenken
Bericht aus Bonn
Die Dreiunddreißigjährige
Der Angestellte
Die Scheidung
Kurze Geschichte der Bourgeoisie
Das Falsche
Finnischer Tango
Automat
Früher
Nicht Zutreffendes streichen
Gemeinschaftskunde
Die Kleider
Ein Traum
Kein Anschluß unter dieser Nummer
Die Parasiten
Der Fliegende Robert
Die Furie
aus: Hans Magnus Enzensberger, ›Die Furie des Verschwindens‹.
Gedichte. © Suhrkamp Verlag Fankfurt am Main 1980

Inhaltsverzeichnis

Alphabetisches Verzeichnis der Gedichttitel

Hans Magnus Enzensberger
im Suhrkamp Verlag und im Insel Verlag

27/1/4.93

Hans Magnus Enzensberger
im Suhrkamp Verlag und im Insel Verlag

Freisprüche. Revolutionäre vor Gericht. Herausgegeben von Hans Magnus Enzensberger. st 111

Gespräche mit Marx und Engels. Mit einem Personen-, Elogen- und Injurienregister. Herausgegeben von Hans Magnus Enzensberger. Leinen und st 716

Bartolomé de Las Casas: Kurzgefaßter Bericht von der Verwüstung der Westindischen Länder. Herausgegeben von Hans Magnus Enzensberger. Deutsch von D. W. Andreä. it 553

Museum der modernen Poesie. Eingerichtet von Hans Magnus Enzensberger. 2 Bde. st 476

Übersetzungen

Molière: Der Menschenfeind. Nach dem Französischen des Molière von Hans Magnus Enzensberger. it 401

Pablo Neruda: Die Raserei und die Qual. Gedichte. Spanisch und deutsch. Auswahl, Übertragung und Nachwort von Hans Magnus Enzensberger. BS 908

César Vallejo: Gedichte. Spanisch und deutsch. Übertragung und Nachwort von Hans Magnus Enzensberger. BS 110

William Carlos Williams: Die Worte, die Worte, die Worte. Gedichte. Amerikanisch und deutsch. Übertragung, das Gedicht ›Envoi‹ und Nachwort von Hans Magnus Enzensberger. BS 76

27/2/4.93